日本語能力試験 完全模試 シリーズ

ゼッタイ合格！

日本語能力試験完全模試

Japanese Language Proficiency Test N4—Complete Mock Exams
日语能力考试　完全模拟试题　N4
일본어능력시험　완전모의고사　N4

渡邉亜子／大場理恵子／清水知子／高橋尚子／青木幸子●共著

Ｊリサーチ出版

はじめに

　本書は、日本語能力試験のN1からN5のレベルのうち、N4の試験対策を目的に、3回分の模擬試験を用意しました。

　本書の特徴は、問題数が豊富であることです。模擬試験が3回分収録されていますから、試験直前にとにかくたくさん問題を解きたいという場合に使うことはもちろん、試験の傾向を知るために1回、少し勉強してから1回、試験直前に1回といった使い方をすることもできます。本書を使って本番と同じ形式の問題を3回解いてみれば、試験の特徴は十分につかめるでしょう。

　また、本書では、あまり時間がない中でも必要な試験対策がとれるよう、解説を工夫しました。問題を解いて答えの正誤を知るだけでなく、効率よく、正解を導くためのポイントを学んだり、今まで学んできた知識を整理したりできるようになっています。

　N4に合格するためには、幅広い日本語の知識とそれを適切に運用する力が求められます。本書を使って繰り返し学習することによって、弱いところや苦手なところを補強し、日本語能力の向上を目指してください。

　本書がN4合格を目指す皆さんのお役に立てることを願っています。

著者・編集部一同

もくじ

はじめに･･･ 2

この本の使い方･･････････････････････････････････ 4

「日本語能力試験 N4」の内容 ･････････････････････ 5

模擬試験 第1回　解答・解説･･････････････････････ 13
模擬試験 第2回　解答・解説･･････････････････････ 35
模擬試験 第3回　解答・解説･･････････････････････ 57

採点表･･ 80

付録「試験に出る重要語句・文型リスト」････････････ 83

〈別冊〉

模擬試験 第1回　問題････････････････････････････ 1
模擬試験 第2回　問題･･･････････････････････････ 41
模擬試験 第3回　問題･･･････････････････････････ 81

解答用紙････････････････････････････････････ 121

この本の使い方

〈この本の構成〉

- 模擬試験は全部で3回あります。
- 問題と解答用紙は付属の別冊に、解答・解説はこちらの本冊に収めてあります。
- 聴解用のCDは各回に1枚ずつ、計3枚あります。

→音声ダウンロードの方法はp.10をご覧ください。

〈この本の使い方〉

① 3回の模擬試験は（一度に続けてではなく）、それぞれ決められた時間にしたがって別々にしてください。

※ 解答用紙は切り取るか、コピーをして使ってください。

※ 「言語知識（文字・語彙）」「言語知識（文法）・読解」では、解答にかける時間について目標タイムを設け、大きな問題ごとに示しています。参考にしながら解答してください。

※ 試験時間と小問数は、聴解を除いて実際の試験と若干異なります（p.6参照）。

② 解答が終わったら、「解答・解説」を見ながら答え合わせをしましょう。間違ったところはよく復習しておいてください。

※ 解説や付録の「試験に出る重要語句・文型リスト」を活用しましょう。

③ 次に、採点表（p.80～81）を使って採点をして、得点を記入してください。得点結果をもとに、力不足のところがないか、確認してください。得点の低い科目があれば、特に力を入れて学習しましょう。

「日本語能力試験 N4」の内容

1. N4のレベル

基本的な日本語を理解することができる。

読む	● 基本的な語彙や漢字を使って書かれた日常生活の中でも身近な話題の文章を、読んで、理解することができる。

聞く	● 日常的な場面で、ややゆっくり話される会話であれば、内容がほぼ理解できる。

2. 試験科目と試験時間

● 「言語知識（文法）」と「読解」は同じ時間内に、同じ問題用紙、同じ解答用紙で行われます。自分のペースで解答することになりますので、時間配分に注意しましょう。

	言語知識（文字・語彙）	言語知識（文法）・読解	聴解
時間	25分	55分	35分

3. 合否（＝合格・不合格）の判定

● 「総合得点」が「合格点」に達したら、合格になります。確実に6〜7割の得点が得られるようにしましょう。

● 「得点区分別得点」には「基準点」が設けられています。「基準点」に達しなければ、「総合得点」に関係なく、不合格になります。苦手な科目をつくらないようにしましょう。

	言語知識・読解（文字・語彙・文法）	聴解	総合得点	合格点
得点区分別得点	0〜120点	0〜60点	0〜180点	90点
基準点	38点	19点		

4. 日本語能力試験 N4 の構成

		大問	小問数	ねらい
言語知識（25分）	文字・語彙	1 漢字読み	7	漢字で書かれた語の読み方を問う。
		2 表記	5	ひらがなで書かれた語が、漢字でどのように書かれるかを問う。
		3 文脈規定	8	文脈によって意味的に規定される語が何であるかを問う。
		4 言い換え類義	4	出題される語や表現と意味的に近い語や表現を問う。
		5 用法	4	出題語が文の中でどのように使われるのかを問う。
言語知識・読解（55分）	文法	1 文の文法1（文法形式の判断）	13	文の内容に合った文法形式かどうかを判断することができるかを問う。
		2 文の文法2（文の組み立て）	4	統語的に正しく、かつ、意味が通る文を組み立てることができるかを問う。
		3 文章の文法	4	文章の流れに合った文かどうかを判断することができるかを問う。
	読解	4 内容理解（短文）	3	学習・仕事に関連した話題・場面の、やさしく書き下ろした100〜200字程度のテキストを読んで、内容が理解できるかを問う。
		5 内容理解（中文）	3	日常的な話題・場面でやさしく書き下ろした450字程度のテキストを読んで、内容が理解できるかを問う。
		6 情報検索	2	案内やお知らせなどの書き下ろした情報素材（400字程度）の中から必要な情報を探し出すことができるかを問う。
聴解（35分）		1 課題理解	8	まとまりのあるテキストを聞いて、内容が理解できるかどうか（次に何をするのが適当か理解できるか）を問う。
		2 ポイント理解	7	まとまりのあるテキストを聞いて、内容が理解できるかどうか（ポイントを絞って聞くことができるか）を問う。
		3 発話表現	5	イラストを見ながら、状況説明を聞いて、適切な発話が選択できるかを問う。
		4 即時応答	8	質問などの短い発話を聞いて、適切な応答が選択できるかを問う。

※ 小問数は大体の予定の数で、実際にはこれと異なる場合があります。2020年度第2回試験より「言語知識（文字・語彙）」「言語知識（文法）・読解」の時間がそれぞれ5分短縮され、小問の目安の数が若干少なくなりましたが、本書は変更前の構成に基づいた内容になっております。

試験に関する最新情報は、日本語能力試験の公式ホームページ（https://www.jlpt.jp）でご確認ください。

N4各問題のパターンと解答のポイント

言語知識
（文字・語彙）

問題1【漢字読み】 　　漢字の正しい読みを選ぶ。

よく出る問題・語句
- 長い音（「ー」）か長くない音か（例 会場ー近所）
- 詰まる音（「っ」）か詰まらない音か（例 学校ー学生）
- 「゛」や「゜」の付く音か付かない音か（例 １本ー２本ー３本）
- 「ん」が入るか「ん」が入らないか（例 店長ー手帳）
- 「漢字＋漢字」でどのような音の違いがあるか（例 食事ー食器）

★間違いとわかるものは（*線を引いて）すぐに*消して、残ったものの中から答えを選ぼう。
　*線を引く：to draw lines／划线／선을 긋다　　消す：to erase／灭、关、消掉、擦掉／지우다

問題2【表記】 　　ひらがなの部分について、正しい漢字を選ぶ。

よく出る問題・語句
- 形が似ている語に注意（近 逆 辺 送）
- 音が似ている語に注意（主 集 所 少）
- 意味が似ている語に注意（洗 流 注 浴）

問題3【文脈規定】 　　文に合う語を選ぶ。

よく出る問題・語句
- 似ているが、意味の違う語（例 会うー合う、リストーメニュー）
- 同じ漢字を持つ語、形が似ている語（例 利用ー用意、紹介ー招待）

問題4【言い換え類義】 　　別な言葉や言い方で、意味がだいたい同じものを選ぶ。

★カタカナの言葉にも注意しよう。

問題5【用法】 　　文の中で正しく使われているものを選ぶ。

よく出る問題・語句
- 前後の語とのつながりは正しいか
- 使われている*場面は適当か

　*場面：scene, situation／场面、情景／장면

言語知識（文法）

問題1【文の文法1（文法形式の判断）】 文に合う*文型を選ぶ。

★ 前の語とのつながりが正しいか。意味と形の両方に注意する。

*文型：sentence patterns ／句型／문형

問題2【文の文法2（文の組み立て）】 語を*並べ替えて、文を作る。

★ 並べ替えたときに __★__ のところに来る語（⇒答えの番号）を間違えないように注意する。

*並べ替える：to rearrange ／重新摆、重新排列／바꿔 배열하다

《問題例》
次の文の __★__ に入る最もよいものを、1・2・3・4の中から一つ選びなさい。

パーティーに ____ ____ __★__ ____ 決めていない。
1 着て　　　2 まだ　　　3 行くか　　　4 何を

（解答のしかた）
パーティーに　何を　着て　(行くか)　まだ　決めていない。

問題3【文章の文法2】 長文を読んで、前後のつながりが合っている語を入れる。

《問題例》
もんだい3　21 から 25 に 何を 入れますか。文章の 意味を 考えて、1・2・3・4から
いちばん いい ものを 一つ えらんで ください。

つぎの 文章は マリアさんが 先生に 書いた はがきです。

先生、お元気ですか。私は今、北海道に来ています。友達が北海道の人で、夏休みの間、彼の家に泊めてもらうことになったんです。北海道には前からぜひ来たいと思っていたので、とても喜んでいます。先生も言っていた　21　、景色はきれいだし、食べ物はおいしいし、毎日楽しいです。もちろん、先生に言われていた漢字の宿題も毎日やっていますよ。　22　、安心してください。…

2013年8月5日
マリア

21
1　のに　　　2　のは　　　3　(とおり)　　　4　みたい

22
1　しかし　　　2　そして　　　3　それで　　　4　(だから)

読解

● ポイント ●

1 指示語（これ、それ、あれ、この〜、その〜、あの〜、こんな〜、そういう〜、あのような〜、など）の*内容を*つかむ。
2 文の最後の部分は、特にていねいに読む。
3 接続詞（また、しかし、だから、など）に注意しながら、文の流れをつかむ。
4 言い換えていること、くり返し述べていることは大事なポイント。
5 「〜ない」や「しかし、けれども、ところが、など」のあとに大事な意見が述べられることが多い。
6 大事な所やわからない所に線を引いたりしながら読む。

*内容：content／内容／내용　　つかむ：to grasp／抓、揪、抓住／파악하다

問題4【内容理解（短文）】 100〜200字くらいの文章を読んで内容が*理解できるかを問う。

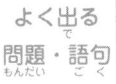
よく出る問題・語句

- 筆者（＝文章を書いた人）が最も言いたいことは何か
- 筆者の考えに合うのはどれか
- 筆者は（何が／どのように／どんな…）と考えているか

*理解（する）：understanding, comprehension／理解、了解／이해

★文章の主題（主なテーマ）をとらえる。

問題5【内容理解（中文）】 450字くらいの文章を読んで、書かれている内容のポイントを理解しているかを問う。

よく出る問題・語句

- どんな〜か
- どのように〜したか
- どうして〜したか
- 何を〜したか

★①指示語（これ、そのこと、あのように、など）の内容をつかむ→そのすぐ前か、少し前が指示内容である場合が多い。
②下線部の内容については、＜表現は違うが同じことを述べている部分＞＜前か後に示された具体的な例＞に注目する。

問題6【情報検索】

400字くらいの情報の中から必要な情報を探し出すことができるかを問う。

よく出る問題・語句
- 広告
- パンフレット（商品やサービスの内容）
- ポスター・チラシ（イベント案内や募集など）
- 情報誌（求人や不動産など）
- 仕事関係の書類

★時間や場所、方法、条件など、よく使われる語句を知っておく。

音声ダウンロードのご案内

STEP 1 商品ページにアクセス！ 方法は次の3通り！
- QRコードを読み取ってアクセス。
- https://www.jresearch.co.jp/book/b282491.html を入力してアクセス。
- Jリサーチ出版のホームページ（https://www.jresearch.co.jp/）にアクセスして、「キーワード」に書籍名を入れて検索。

STEP 2 ページ内にある「音声ダウンロード」ボタンをクリック！

STEP 3 ユーザー名「1001」、パスワード「21382」を入力！

STEP 4 音声の利用方法は2通り！ 学習スタイルに合わせた方法でお聴きください！
- 「音声ファイル一括ダウンロード」より、ファイルをダウンロードして聴く。
- 「▶」ボタンを押して、その場で再生して聴く。

※ダウンロードした音声ファイルは、パソコン・スマートフォンなどでお聴きいただくことができます。一括ダウンロードの音声ファイルは.zip形式で圧縮してあります。解凍してご利用ください。ファイルの解凍が上手く出来ない場合は、直接の音声再生も可能です。

音声ダウンロードについてのお問合せ先：toiawase@jresearch.co.jp（受付時間：平日9時～18時）

聴解

● 聴解問題のポイント ●

1 音声は1回しか聞けないので、1問1問*集中して聴くこと。
2 答えに迷っても、そこで時間をかけない（→次の問題に集中できなくなる）。
3 質問文の内容を正しく聞き取ること。
4 会話では*省略される言葉が多い。「だれが？」「何を？」などがわからなくならないように注意する。

* 集中（する）：to concentrate ／集中／집중하다
  省略（する）：to omit, to abbreviate ／省略／생략하다

問題1【課題理解】　二人の会話を聞いて、内容が理解できるかどうかを問う。

流れ
1 問題文を聞く
2 *選択肢を見る
3 説明と質問（1回目）を聞く
4 会話を聞く
5 質問（2回目）を聞く→答えを選ぶ

よく出る問題・語句
● ～はこのあと、どうしますか。
● ～は何をしなければなりませんか。

*選択肢：choice ／選択的余地／선택지

★「何が必要かに注意して聴く。相手の言ったことに対して、「それは必要ない、必要なくなった」「それもそうだけど…」などと返すことが多い。

問題2【ポイント理解】　二人の会話または一人のスピーチなどを聞いて、ポイントがつかめるかどうかを問う。

流れ
1 問題文を聞く
2 選択肢を軽く見る
3 説明と質問（1回目）を聞く
4 選択肢を見る（約20秒）
5 会話を聞く
6 質問（2回目）を聞く→答えを選ぶ

よく出る問題・語句
● ～は、どうして…か。
● ～は、いつ／何時（の○○）に…か。
● ～は、何を／どんな○○を…か。
● ～はどのように…か。

★最初に聞いた質問を頭に置いて、会話を聞く。誰についてのことなのか（「男の人」か「女の人」か、店員か客か、など）も間違わないように注意する。

問題3【発話表現】　絵を見ながら、*状況説明を聞いて、それに合った表現が選べるかを問う。

流れ
1. 絵を見る
2. 状況説明と質問を聞く
3. 選択肢を聞く→解答

よく出る問題・語句
- ～てくれませんか（～てくれない？）／～てほしいんですが
- ～たいんですが
- ～ましょうか
- ～（し）ない？／～たら（どう）？

★ お願い、*提案、*助言、お礼などの表現が多い。決まった言い方は覚えておこう。

*状況：situation／状況、情况／상황　　提案（する）：to propose／建议／제안하다
助言（する）：to advise／劝／조언

問題4【即時応答】　相手の短い質問やあいさつなどに対して、それに合った答え方が選べるかを問う。

流れ
1. 会話のうち、先に話すほうを聞く
2. 選択肢（会話のあとのほう）を聞く→答えを選ぶ

よく出る問題・語句
- ～ておく／～とく／～ておいて
- ～てくれませんか／～てくれない？
- ～て（も）いい／～で（も）いい
- 結構です

★ 選択肢は8～12字くらいの短い文。音を聞いているだけだと、どれも合っているように思ってしまうので注意。全部聞いてから選ぶのではなく、一つ一つについて、合っているか、合っていないか、チェックする。×や○、△などをつけるとよい。

模擬試験 第1回 解答・解説

正答一覧

言語知識（文字・語彙）

問題1		問題4	
1	1	25	2
2	4	26	3
3	3	27	4
4	4	28	1
5	1	29	1
6	2	問題5	
7	4	30	3
8	3	31	4
9	1	32	4
問題2		33	4
10	2	34	2
11	2		
12	4		
13	1		
14	2		
15	4		
問題3			
16	2		
17	4		
18	4		
19	3		
20	1		
21	3		
22	1		
23	4		
24	3		

言語知識（文法）・読解

問題1		問題3	
1	2	21	2
2	1	22	4
3	4	23	3
4	3	24	1
5	1	25	3
6	4	問題4	
7	4	26	3
8	2	27	4
9	1	28	4
10	2	29	1
11	3	問題5	
12	2	30	2
13	3	31	2
14	1	32	2
15	1	33	3
問題2		問題6	
16	1	34	2
17	3	35	4
18	4		
19	4		
20	2		

聴解

問題1		問題3	
れい	2	れい	3
1	3	1	3
2	2	2	2
3	2	3	1
4	1	4	2
5	4	5	1
6	4	問題4	
7	3	れい	2
8	4	1	2
問題2		2	3
れい	3	3	2
1	4	4	1
2	3	5	3
3	3	6	1
4	1	7	2
5	3	8	3
6	2		
7	3		

※ 解説では「ことばと表現」でN4レベルの語を取り上げ、チェックボックス（□）を付けています。説明のために取り上げた一部の難しい語には△を付けています。

言語知識（文字・語彙）

もんだい1

① 正答1
ここがポイント

- 受付：reception, front desk ／受理／접수
  - ▶ 受＝うけーる
    - 例 試験を受けます。
  - ▶ 付＝つーける
    - 例 パンにジャムを付けます。

② 正答4
ここがポイント

- 謝る：to apologize ／道歉／사과하다
  - ▶ 謝＝シャ／あやまーる
    - 例 うそを言ったことを謝りました。

③ 正答3
ここがポイント

- 連絡：contact ／联系／연락
  - ▶ 連＝レン／つーれる
    - 例 子どもを連れて公園に行きました。
  - ▶ 絡＝ラク

④ 正答4
ここがポイント

- 泥棒：thief ／强盗、小偷／도둑
  - ▶ 泥＝デイ／どろ
    - 例 洋服が泥で汚れました。
  - ▶ 棒＝ぼう
    - 例 棒でボールを打ちました。

⑤ 正答1
ここがポイント

- 入学：entering a school ／入学／입학
  - ▶ 入＝ニュウ／はいーる
    - 例 教室に入りました。
  - ▶ 学＝ガク／まなーぶ
    - 例 大学で医学を学びました。

⑥ 正答2
ここがポイント

- 急行：express ／快车／급행
  - ▶ 急＝キュウ／いそーぐ
    - 例 急いで行きます。
  - ▶ 行＝コウ、ギョウ／いーく　おこなーう
    - 例 銀行に行きます。

7 正答 4
ここがポイント

- □ 駐車場：車をとめるところ。
  - ▶ □ 駐＝チュウ
    - 例 駐輪場
  - ▶ □ 車＝シャ／くるま
    - 例 自動車、車に気をつける、車に乗る
  - ▶ □ 場＝ジョウ／ば
    - 例 飛行場、場所

8 正答 3
ここがポイント

- □ 途中：on the way ／途中／도중
  - ▶ □ 途＝ト
  - ▶ □ 中＝チュウ／なか
    - 例 中学校、家の中、教室の中

9 正答 1
ここがポイント

- □ 自由：free ／自由／자유
  - ▶ □ 自＝ジ
    - 例 自動車、自転車、自分
  - ▶ □ 由＝ユウ
    - 例 理由

もんだい 2

10 正答 2
ここがポイント

- □ 作る：to make, to create ／制作／만들다
  - ▶ □ 作＝サク／つくーる
    - 例 作文、料理を作る

11 正答 2
ここがポイント

- □ 意見：opinion ／意见／의견
  - ▶ □ 意＝イ
    - 例 意味がわかります。
  - ▶ □ 見＝ケン／みーる
    - 例 見物する、テレビを見る。

12 正答 4
ここがポイント

- □ 飲む：to drink ／喝／마시다
  - ▶ □ 飲＝イン／のーむ
    - 例 飲み物

13 正答 1
ここがポイント

- □ 空く：to be empty, to be available ／空、空闲／비다
  - ▶ □ 空＝クウ／そら、あーく
    - 例 空気、空港、青い空

14 正答 2
ここがポイント

- □ 通り：車や人が通るところ。広い道。
  - ▶ □ 通＝ツウ／とおーり、とおーる
    - 例 交通、学校へ通う

15 正答 4
ここがポイント

- □ 止まる：to stop ／停止／멈추다
  - ▶ □ 止＝シ／とーまる、とーめる

もんだい3

16 正答2
ここがポイント

□ **カーテン**：curtain ／窓帘／커튼

他のせんたくし
1 ガラス　　例 まどガラス
3 かべ　　　例 地図をかべにはる
4 ボタン　　例 ワイシャツのボタン

17 正答4
ここがポイント

□ **考える**：to think, to consider ／思考／생각하다
例 健康について考える、いい考え

他のせんたくし
1 思う
　例 国の両親のことを思っています。
2 かむ
　例 かたい肉をかみます。
3 答える
　例 質問に答えます。

18 正答4
ここがポイント

□ **しっかり**：確かに、かたく、強く。
例 彼は若いのに、しっかりしています。

他のせんたくし
1 なかなか
　例 バスがなかなか来ません。
2 ちっとも
　例 何回聞いても、ちっともわかりません。
3 さっき
　例 さっき聞いたのに、忘れてしまいました。

19 正答3

□ **故障(する)**：breakdown, failure ／故障／고장
例 機械が故障して、止まっています。

他のせんたくし
1 失敗(する)　　例 計画は失敗しました。
2 したく(する)　例 夕飯のしたくをします。
4 注意(する)　　例 車に注意してください。

20 正答1

□ **連れる**：to be accompanied by ／帯、領／〜에 따라
例 友達を連れてパーティーへ行きます。

他のせんたくし
2 慣れる　例 日本の生活に慣れました。
3 入れる　例 財布にお金を入れました。
4 晴れる　例 雨が止んで、空が晴れました。

21 正答3

□ **最近**：recently, in these days ／最近／최근
例 最近の若い人、最近のニュース／最近、ジョギングをしています。

他のせんたくし
1 最後
　例 最後まで読みます。／最後に部屋を出ます。
2 最初
　例 最初は難しかったが、だんだんわかってきました。
4 明日
　例 今日は金曜日だから、明日は休みです。

22 正答 1

ここがポイント

- **ずっと**：おなじことが長い時間続いていること。
  - 例 朝からずっと働いています。

他のせんたくし

2 たまに：ときどき。
  - 例 お酒はたまに飲みます。
3 非常に：たいへん。
  - 例 今年の夏は非常に暑かったです。
4 とても：非常に、たいへん。
  - 例 この料理はとてもおいしいです。

23 正答 4

ここがポイント

- **翻訳(する)**：translation ／翻译／번역
  - 例 彼は日本語をフランス語に翻訳する仕事をしています。

他のせんたくし

1 放送(する)
  - 例 今晩、試合を放送します。
2 用意(する)
  - 例 プレゼントを用意します。
3 輸出(する)
  - 例 海外に自動車を輸出します。→輸入(する)

24 正答 3

ここがポイント

- **とうとう**：長い時間たったあと、最後に。
  - 例 3年かかりましたが、とうとうできました。

他のせんたくし

1 特に
  - 例 あの店の肉はおいしいですが、特にとり肉がおいしいです。
2 そろそろ
  - 例 もう4時ですから、そろそろ帰りましょう。
4 たまに ⇒ 22 たまに外で食事をします。

もんだい4

25 正答 2

ここがポイント

「しばらく」は「少しの時間」、「おまちください」は「待っていてください」という意味。

26 正答 3

ここがポイント

「くれる」は「外が暗くなる」こと。

27 正答 4

ここがポイント

「かまいません」は「いいです」「問題ありません」という意味。

28 正答 1

ここがポイント

「じゃま」は「あるとよくない→必要ではない」という意味。

29 正答 1

ここがポイント

「うごいて」は「(車が)走って」、「びっくりする」は「驚く」という意味。

もんだい5

30 正答3
ここがポイント

□ **試合**：sports game／比賽／시합
例 試合に負けて残念です。

他のせんたくし 1 コンクール、2 試験、4 展覧会、などが適当です。

31 正答4
ここがポイント

□ **十分（な）**：enough, sufficient／非常、很／충분함
例 食べ物は十分あります。

他のせんたくし 1 すごく、2 たくさん、3 たくさん、などが適当です。

32 正答4
ここがポイント

□ **厳しい**：strict, severe／严格的／엄하다
例 練習はとても厳しいです。

他のせんたくし 1 痛い、2 寂しい、3 悲しい、などが適当です。

33 正答4
ここがポイント

□ **すべる**：to slip, to slide, to be slippery／滑／미끄러지다
例 雪道を歩くときは、すべらないように気をつけてください。

他のせんたくし 1 やめました、2 落ちました、3 降りました、などが適当です。

34 正答2
ここがポイント

□ **見物（する）**：sightseeing／参观／구경
例 旅行の2日目は、京都を見物します。

他のせんたくし 1 見ました、3 見ました、4 読みました、などが適当です。

言語知識（文法）・読解

文法

もんだい1

1 正答2

□ ～で～
例 公園でサッカーをした。（動作の場所：place of action）

他のせんたくし
1 公園にこどもがいる。（存在の場所：place of existence）
2 朝ごはんを食べる。（動作の対象：object of action）
4 あの山は高い。（主題：theme）

2 正答1

□ ～しか～ない。
例 弟は100円しか持っていない。（「～ない」といっしょに使う）

他のせんたくし
2 コーヒーでも飲みましょうか。（＝コーヒーでいい。でも、ほかの飲み物でもいい）
3 妹は今朝、バナナだけ食べて学校へ行った。
4 山田さんにもプレゼントをあげました。（＝～に～をあげます）

3 正答4

□ ～か～
例 彼がどこへ行ったか、わかりません。（「疑問詞：interrogative／疑問词／의문사」＋「か」の形）

4 正答3

□ ～を～
例 道を歩きます。（場所＋を＋移動動詞）
※ 移動動詞：「歩く、とおる、散歩する」など。

他のせんたくし
1 子どもが遊んでいる。
2 公園でサッカーをした。
4 公園に池があります。

5 正答1

□ ～には～
例 9時までには家に帰ります。（「に」：時間、「は」：一番低いレベル）

他のせんたくし
2 ここではたばこをすってはいけません。
3 日本にも中国料理の店はたくさんあります。
4 彼は家でも仕事をします。

6 正答4

□ どうやって
例 すきやきは、どうやって作るんですか。（方法）

他のせんたくし
1 どうして会議に遅れたんですか。（理由：reason／理由／이유）
2 駅まで歩いてどのくらいかかりますか。（時間や程度：degree／程度／정도）
3 この漢字はどういう意味ですか。（内容：content／内容／내용）

模擬試験 第1回 解答・解説

7 正答 4

〜から
例 外は寒いから、今日はずっと家にいるつもりです。（理由）

他のせんたくし
1 これは田中さんがつくったものです。
2 私の趣味は本をよむことです。
3 おいしいレストランなら、さくらレストランがいいですよ。（条件：condition／条件／조건）

8 正答 2

〜がする
例「このカレー、変な味がしますね。」（「味・におい・音」＋がします）

他のせんたくし
1 風邪をひいていましたが、もう元気になりました。（変化：change／変化／변화）
3 「〜がなります」×→「〜になります」
4 私は今から宿題をします。

9 正答 1

やっと
例 2時間歩いて、やっと友達の家についた。（＝大変だったが／時間がかかったが）

他のせんたくし
1 彼は朝から晩までずっと本を読んでいる。（何かを続ける様子）
3 彼はきっと試験に合格できる。（確信：conviction／确信／확신）
4 彼はもっと勉強したほうがいい。（＝今よりも多く）

10 正答 2

〜ようになりました
例 日本語の新聞が読めるようになりました。（変化）

他のせんたくし
1 仕事でアメリカにいくことになりました。（周りの事情で決まった：it was determined by circumstances／因周围的原因而决定了／주변의 사정으로 정해졌다）
3 友達に会うために、アメリカにいくことにしました。（自分で決めた）
4 毎日漢字を10個覚えるようにしました。（努力して続けると決めた）

11 正答 3

〜ばかり
例 私はさっき起きたばかりです。（Vた形＋ばかり／まだ時間があまりたっていない）

他のせんたくし
1 外は寒いから、今日はずっと家にいるつもりだ。（理由）
2 朝起きた時、雨が降っていました。（時間）
4 私の趣味は本をよむことです。

12 正答：2

〜は〜に〜ていただく
例 私は部長に本を貸していただきました。（「〜てもらう」のさらにていねいな形）

他のせんたくし
1 先生の奥様が料理を教えてくださいました。（＝教えてくれた）
3 私は子どもに日本語を教えたいです。（希望：hope／希望／희망）
4 「教えさせた」は使役形 causative form／使役形／사역형。

13 正答 3

〜うちに
例 子供が寝ているうちに、部屋のそうじをする。（＝寝ているあいだに）
「冷めない＝温かい」なので、答えは3

解答・解説

14 正答 1

□ ～し、～し

例 彼は明るいし、親切だし、クラスのみんなに人気がある。（理由の例）

他のせんたくし

2 言葉の意味がわからないときは、辞書を引くとか、友達に質問するとかして調べる。

3 休みの日は、本を読んだり、スポーツをしたりしている。

4 パーティーに行くか、行かないか、悩んでいる。

15 正答 1

□ ～すぎる

例 昨日の晩、お酒を飲みすぎたので、頭が痛い。

※ Ｖすぎる→Ｖの形は「○○ます」の○○

もんだい2

16 正答 1

しゅくだいが ₂終わったら ₃公園を ₁散歩しよう ₄と 思って いる。

⇒【〈しゅくだいが〉終わったら]〈公園を〉散歩しよう】と思っている。

17 正答 3

リサさんは 仕事が ₄いそがしくても ₁一日も ₃休まずに ₂日本語の 勉強を続けている。

⇒ リサさんは [〈仕事が〉いそがしくても]一日も休まずに〈日本語の勉強を〉続けている。

18 正答 4

今年の ₂冬は ₁去年 ₄ほど ₃寒くない。

⇒ 〈今年の冬は〉〈去年ほど〉寒くない。

19 正答 4

次の会議 ₂は ₁2週間後 ₄に ₃開かれるそうだ。

⇒ [次の会議は〈2週間後に〉開かれる]そうだ。

20 正答 2

A「今日は 午後から 雨が ふるそうですよ。」

B「えっ。そうなんですか。朝は 晴れて いたので、₁かさを ₄持たないで ₂来て ₃しまいました。」

⇒ 朝は晴れていたので、[〈かさを〉持たないで]来てしまいました。

もんだい3

21 正答 2

「AするときいつもB」という意味の表現が合う。

他のせんたくし

1 4 ここでは、ナイ形は合わない。

3 フランス料理を食べるなら、駅前のレストランがいいですよ。（＝AするときはBがいい）

22 正答 4

「はじめて食べた日本料理」がヒント→「経験がない」ことを表すもの。

他のせんたくし

1 2 は経験を表さない。3 は肯定（affirmation／肯定／긍정적）。

模擬試験 第1回 解答・解説

23 正答 3

「(〜に)〜が〜てくれる」という内容が合う→お母さんが作ってくれた

他のせんたくし

1 私は先生に立たされた。(=「私」が立たされた／使役＋受身：causative／使役／사역＋passive／被动／수동)
2 私は妹に料理を作ってあげた。(=「私」が作った)
4 私は奥様に料理を教えていただいた。(=「奥様」が教えた)

24 正答 1

「(すきやきを)作る」という動作の場所を表すものが入る→「〜でも」。

他のせんたくし

2 今日はどこへも行きませんでした。
3 かさを探したんですが、どこにもありませんでした。
4 誕生日に、田中さんからもプレゼントをもらいました。

25 正答 3

このあとの「あまり上手にできませんでした。」がヒント。

他のせんたくし

1 田中さんは明るいし、まじめだし、それに親切です。(付加：addition／附加／추가)
2 私は泳ぐことができません。だから海へ行っても泳ぎません。(理由)
4 仕事が忙しくなった。それでテニスをやめてしまった。(理由)

読解

もんだい4（短文）

(1)「お風呂」

26 正答3

ここがポイント

*テーマは「かぜをひいたときに、お風呂に入るのかどうか」。この人は、「高い熱があるときには…お風呂はやめたほうがいい」が、「熱がだいぶ下がったとき」は「お風呂に入ったほうが気分もよくなってよい」と言っている。

ことばと表現

- □ 風呂：bath ／浴盆／목욕
- □ 湯：hot water ／热水／탕
- □ 習慣：habit ／习惯／습관
- □ そこで：so, therefore ／于是、因此／그래서
- □ 問題：problem ／问题／문제
- □ ～(の)かどうか：whether or not ／是否、能否／～여부
- □ もちろん：of course ／当然／물론
- □ 熱：fever ／热／열
- □ だいぶ：to a considerable extent ／非常、很／상당히
- □ 昔：a long time ago, in the past ／过去／옛날
- □ 気分：mood ／心情／기분
- *□ テーマ：theme ／主题／테마

(2)「動物園」

27 正答4

ここがポイント

質問の「いろいろ変わってきている」は、最初の文の「新しい見せ方が考えられている」ことを指す。同じ文の「動物が動いているところを見せるために」が、「いろいろ変わってきている」ことの*理由。

他のせんたくし

1 → 変わってきた動物園の例。理由ではない。「いつでも」とは書かれていない。
2 → 動物園に来た人が動物を「近くで見る」。これも変わってきた動物園の例。理由ではない。
3 → 動物たちが「泳いだり動いたりしたがった」とは書かれていない。

ことばと表現

- □ 最近：このごろ。recently ／最近／최근
- □ たとえば：for example ／例如／예를 들어
- □ 自由に：freely ／自由地／자유롭게
- □ 特別(な)：special ／特别／특별
- □ (～に)慣れる：to get used to ～ ／习惯／익숙해
- □ ～たがる：～たいと思う。somebody (the third person) wants to ～ ／想～（主要用于第三人称）／～하고 싶어하다
  ※「私や私たち」以外の人について言う。
  例 行きたがる（＝行きたいと思う）
- □ 変わる：to change ／変化／바뀐다
- *□ 理由：reason ／理由／이유

模擬試験 第1回 解答・解説

(3) 「幼稚園」

28　正答 4

ここがポイント

理由を表す「〜ので」に注意。最後の文の「私はみんなで同じことをするのに興味がなかったので」が、「幼稚園には行かないと自分で決めた」理由。

他のせんたくし

1→幼稚園に行かなかったから、聞くことができなかった。「〜から」の「〜」が理由。
2→友だちのほとんどは幼稚園に行った。
3→音楽やダンスがきらいだとは書かれていない。

ことばと表現

- 幼稚園：kindergarten／幼儿园／유치원
- (〜に) かよう：to commute to 〜／上班、上学／다니다
- (〜に) 慣れる：to get used to 〜／习惯／익숙해지다
- (〜に) 興味がない：not interested in 〜／对--没兴趣／관심이 없다

(4) 「電気の安全チェックの連絡」

29　正答 1

ここがポイント

「電気の止まる場所」がどこか、何ができないかをさがす。「エレベーターは動きません」が答え。

他のせんたくし

2→「テレビやパソコンは使うことができます」。
3→「マンションの1階入口のドア」は「チェックのあいだ、開けて」おく。
4→「開けたり閉めたりできない」のは、マンションの1階入口のドア。部屋には電気が来る。

ことばと表現

- 電気：electricity／电气／전기
- 安全：safety／安全／안전
- チェック(する)：check／检查／체크
- 連絡(する)：知らせること。contact／联系／연락
- 場所：location／场所／위치
- 〜のあいだ：during 〜／〜之间／〜 사이
- パソコン：personal computer／电脑／컴퓨터
- 予定(する)：schedule／预计／예정

もんだい5 (中文)

「正月」

30　正答 2

ここがポイント

3行目「スーパーでおおぜいの人が…買っているのを見た。」

他のせんたくし

1→2行目「何も買わなかった」。
4→神社に行ったのは「1月1日」(7行目)。

31　正答 2

ここがポイント

7行目「びっくりしたのは、…並んでいたことだ。」

32　正答 2

ここがポイント

11行目「やっと神社に入れて、「よい年になるように」と祈った。」

他のせんたくし

4→おみくじをひいたのは先輩

33 正答3

ここがポイント

1月1日に「神社に行こうとする人がたくさんいた」(7行目)と書いてあるので、日本人の正月の習慣だと考えられる。

他のせんたくし

1 →特別な料理は「12月31日までに作」る。(4行目)
2 →「今では…する人もいる」(5行目)は、今までにない新しいことを述べたもの。習慣ではない。
4 →「よい年になるようにと祈る」(11行目)。「おみくじをもらう」ではない。

ことばと表現

- 正月：1月
- 経験(する)：experience／经验／경험
- まず：はじめに　first／首先／우선
- スーパー：supermarket／超市／슈퍼마켓
- 食料品：食べ物　grocery／食品／식료품
- 特別(な)：special／特别的／특별한
- ～ため(だ)：(目的を表す) for ~, because ~／为了／～위한
  例 昨日は早く寝た。早く起きるためだ。＝早く起きるために、早く寝た。
- ずっと：長い時間。all the time／一直／쭉, 훨씬
- 習慣：habit／习惯／습관
- 食事(する)：食べること　meal／吃饭、进餐／식사
- 先輩：同じ学校や会社などに先に入った人　senior／前辈／선배
- 神社：shrine／神社／신사
- びっくりする：おどろく。
- ～が見つかる：Aが見つけられる。to be able to find A／A能被找到／A가 발견되다
- 盗む：to steal／偷盗／훔치다
- さがす：to find／寻找／찾다
- やっと：finally／终于／간신히
- ～ように。：(祈るときの言い方) expressions to pray／祈祷的说法／기도할 때의 말투
  例 明日、晴れますように。 I hope it will be sunny tomorrow.／希望明天天晴／내일 맑기를 빕니다
- 祈る：to pray／祈祷／기도하다
- *～行目：the ~th line／第～行／～째 줄

もんだい6 (情報検索)

「音楽練習室」

34 正答2

ここがポイント

料金表の「月～金 16：30－22：30」と「前日予約」を見る。「5人で2時間で2500円以内」をさがす。Bの前日予約が1200円×2時間＝2400円。

他のせんたくし

1 →Aの前日予約。1500円×2時間＝3000円。
3 →Cの月～金。1300円×2時間＝2600円。
4 →Dは4人まで

35 正答4

ここがポイント

「ご予約をキャンセルするときは」を見る。3日前、2時間のキャンセル料は、利用料金(Dの木曜午前2時間＝500円×2時間＝1000円)の60％。

ことばと表現

- ～室：～のための部屋。
  例 相談室　counseling room／商谈室／상담실
- 利用(する)：使う。
- (部屋が)空いている：vacant／空着／비다
- 料金：払うお金。かかるお金。 fee／费用／요금
- ～料：～のために払うお金。

「N4レベルの漢字をチェック！①　　※難しい読みとN5レベルの漢字は入れていません。

- ☐ 悪　わる-い
  - 例 悪いニュース／天気が悪い。
- ☐ 暗　くら-い
  - 例 暗い部屋
- ☐ 以　イ
  - 例 10人以上、18歳以下、1週間以内
- ☐ 医　イ　　例 医者
- ☐ 意　イ
  - 例 意見、意味
- ☐ 引　ひ-く
  - 例 線を引く、1000円引く、割引
- ☐ 員　イン
  - 例 店員、会社員
- ☐ 院　イン
  - 例 病院、大学院
- ☐ 運　ウン／はこ-ぶ
  - 例 運動、テーブルを運ぶ
- ☐ 映　エイ　　例 映画
- ☐ 遠　とお-い
  - 例 駅から遠い
- ☐ 屋　オク／や
  - 例 屋上、屋根、パン屋
- ☐ 音　オン／おと
  - 例 音楽／音が鳴る。／音が聞こえる。／音がする。
- ☐ 夏　なつ
  - 例 夏休み、真夏
- ☐ 家　カ／いえ　や
  - 例 家族、小説家、家の近所、家賃、大家
- ☐ 歌　カ／うた　うた-う
  - 例 歌手、歌声
- ☐ 画　ガ　カク
  - 例 映画、テレビの画面、画家、計画
- ☐ 回　カイ／まわ-る　まわ-す
  - 例 今回・次回・前回、毎回／かぎが回らない／京都を回る
- ☐ 海　カイ／うみ
  - 例 海岸、海外旅行、海の生き物
- ☐ 界　カイ　　例 世界
- ☐ 開　カイ／ひら-く　あ-く　あ-ける
  - 例 開店、本を開く、10時に開く、窓を開ける
- ☐ 楽　ガク　ラク／たの-しい　たの-しむ
  - 例 音楽、楽な仕事、楽しい旅行、スポーツを楽しむ
- ☐ 寒　カン／さむ-い
  - 例 寒い季節
- ☐ 漢　カン　　例 漢字
- ☐ 館　カン
  - 例 映画館、図書館、体育館、館内
- ☐ 顔　ガン／かお
  - 例 顔を洗う
- ☐ 起　お-きる　お-こる　お-こす
  - 例 7時に起きる／事故が起きる・起こる。／娘を起こす
- ☐ 帰　キ／かえ-る　かえ-す
  - 例 帰国、家に帰す
- ☐ 究　キュウ　　例 研究
- ☐ 急　キュウ／いそ-ぐ
  - 例 急な仕事、急に泣く、急行、急いで帰る
- ☐ 牛　ギュウ／うし
  - 例 牛乳、牛肉、子牛
- ☐ 去　キョ
  - 例 去年
- ☐ 京　キョウ
  - 例 東京、京都
- ☐ 強　キョウ／つよ-い
  - 例 強風、強いチーム
- ☐ 教　キョウ／おし-える
  - 例 教育、教師、ダンスを教える
- ☐ 業　ギョウ
  - 例 工業、自動車産業
- ☐ 近　キン／ちか-い
  - 例 近所、駅から近い
- ☐ 銀　ギン　　例 銀行
- ☐ 区　ク
  - 例 東京都○○区△△町、○○区の計画

聴　解

問題1

例　正答2　

男の人と女の人が話しています。男の人は、このあとまずどこに行きますか。

M：ちょっと本屋に行ってくるね。
F：あっ、じゃあ、朝食用のパンを買ってきてくれない？
M：よく行く駅前のパン屋？
F：あそこまで行かなくていいよ、遠いから。ABCスーパーでいいよ。普通のトースト用のパンでいいから。
M：わかった。
F：ああ、だから、コンビニでもいいよ。
M：うん。じゃあ、帰りに寄るよ。

男の人は、このあとまずどこに行きますか。

パンは「帰りに寄るよ」→帰りに買う。

ことばと表現

- ～用：〜のため。
- 駅前：駅のそば。
- トースト：toast／烤面包／토스트

1番　正答3

デパートで、女の人と店の人が話しています。女の人が見たいのはどの時計ですか。

F：すみません、その白い時計を見たいんですが。
M：こちらでしょうか。
F：いえ、一番上のじゃなくて、上から2段目のです。
M：はい。…。小さいのと大きいのがありますが、どちらでしょうか。
F：小さい方です。
M：はい、こちらですね。
F：ありがとうございます。

女の人が見たいのはどの時計ですか。

「白い時計」「上から2段目」「小さい方」から答えをえらぶ。

ことばと表現

- ～段目：~th row／第～段／~ 단째

2番　正答2

女の人と男の人が話しています。二人はこれからどこへ行きますか。

F：これから、どこ行く？
M：本屋へ行かない？
F：そうね…。でも、さっきデパートで買い物したら、少し疲れちゃった。
M：服を選ぶのに、2時間もかかったからね。じゃあ、喫茶店でコーヒーでも飲んで、それから本屋へ行こうか。
F：うん、そうしよう。あ、それから、本屋へ行ったあとで、スーパーにも行っていい？晩ごはんの材料を買いたいから。
M：うん。いいよ。

二人はこれからどこへ行きますか。

ことばと表現

- 選ぶ：to choose／選択／고르다
- ～でも：「～でもOK」という軽い気持ちを表す。

例 お昼のあと、映画でも見ない？
- □ 材料：materials ／材料／재료

3番　正答2

レストランで店の人がお客さんに話しています。店に来たお客さんは、まず何をしなければなりませんか。

M：いらっしゃいませ。お二人さまですか。大変申し訳ありません。ただ今、席がいっぱいでして…。こちらにお名前をお書きいただいてから、あちらのいすにお座りになってお待ちいただけますか。席が空きましたら、お名前をお呼びします。

店に来たお客さんは、まず何をしなければなりませんか。

「お名前をお書きいただいてからあちらの…」の「から」がポイント。

ことばと表現
- □ 大変：とても。非常に。
- □ こちら：「ここ」のていねいな言い方。
- □ あちら：「あそこ」のていねいな言い方。
- □ お座りになって：「座って」の尊敬語。

4番　正答1

学校で日本語の先生と男の留学生が話しています。男の留学生は来週の授業に何を持ってきますか。

F：来週は、みなさんの家族について日本語で話してもらいます。ですので、家族を紹介する作文を書いて、持ってきてください。
M：わかりました。先生、家族の写真を持ってきてもいいですか。みんなに見てもらおうと思うんです。
F：ええ。写真があると、わかりやすくて、いいですね。

M：はい。じゃあ、持ってきます。それから、教科書は持ってきたほうがいいですか。
F：はい、あとで教科書も使いますから、持ってきてください。
M：わかりました。

男の留学生は来週の授業に何を持ってきますか。

5番　正答4

電話で男の人がバスを予約しています。男の人はどの席を予約しましたか。

F：はい、「さくらバス」でございます。
M：あのう、明後日の午前7時に東京へ行くバスを、二人分予約したいんですが…。
F：はい。明後日の午前7時、東京へ行くバスを、お二人ですね。席は隣がよろしいですか。
M：ええ、お願いします。あ、それから、前の方の席がいいんですが…。
F：申し訳ありません。前の方だと、お二人別々になるんですが…。
M：そうですか…。じゃ、後ろの席でお願いします。
F：はい、かしこまりました。

男の人はどの席を予約しましたか。

「隣の席のほうがよろしいですか」→「ええ…」「じゃ、後ろの席で…」から答えをえらぶ。

ことばと表現
- □ 予約（する）：reservation／預約／예약
- □ 〜人分：for 〜(number) people／〜人份／〜인분
- □ 別々：separately, apart／各自的／각각

6番　正答4

女の人と男の人が話しています。二人はどこへ旅行に行きますか。

F：今度の旅行だけど、どこへ行く？
M：いろいろあるね〜。僕はやっぱり体を動かせるのがいいなあ。自転車に乗ったり、山に登ったり！
F：え〜、わたしはもう少しゆっくりしたいから、お寺に行ってみたいな。歴史の勉強もできるし。
M：うーん、勉強かあ…。それか、海はどう？海なら僕が泳いでいる間に、君は海の近くを散歩できるよ！
F：二人で行くのに、違うことをするの？　そんなの変よ。
M：わかったよ。じゃあ、今回は君の行きたいところへ行くよ。体を動かすのは一人でできるから。
F：じゃ、そうしよう。

二人はどこへ旅行に行きますか。

7番　正答3

会社で男の人と女の人が話しています。男の人はボーナスをもらったら、どうしますか。

M：もうすぐボーナスが出ますね。
F：ええ。楽しみですね。私はボーナスが出たら、服が買いたいです。ほしい服がたくさんあるんです。
M：いいですね。
F：田中さんは？
M：私は自分のためには使えません。もうすぐ子どもが大学生になるし、貯金しなければなりませんので。若いころは、旅行に行ったり、車に使ったりしたんですが…。
F：そうですか。

男の人はボーナスをもらったら、どうしますか。

2、4は男の人が若いころ。

ことばと表現
- □ ボーナス：bonus ／奨金／보너스
- □ 貯金：savings ／儲蓄／저금

8番　正答4

男の人と女の人が話しています。女の人はいつ、どこへ行きますか。

M：えーと、明日のパーティーですが、午後8時に「さくらレストラン」に集まってください。
F：あ、すみません。お店の場所がよくわからないんですが…。
M：そうですか。少しわかりにくいですからね。じゃ、お店の場所がわからない人は、15分前にさくら駅に来てください。駅から私と一緒に行きましょう。
F：ありがとうございます。
M：駅の北の出口で待っていますね。
F：はい。

女の人はいつ、どこへ行きますか。

「15分前にさくら駅に」がポイント。

ことばと表現
- □ 場所：location ／場所／위치

問題2

例　正答3

男の学生と女の学生が話しています。女の学生は、どうしてアルバイトをやめましたか。

M：アルバイトやめたんだって？
F：うん。

模擬試験 第1回 解答・解説

M：お金は結構良かったんでしょ？
F：うん、良かったよ。おかげで留学するためのお金もできたし。
M：じゃあ、なんで？
F：最近、勉強のほうが大変になってきちゃって。
M：そうなんだ。

女の学生は、どうしてアルバイトをやめましたか。

ことばと表現

□ ～(んだ)って？：「～って」は伝え聞いたことを表す。「～って？」は「～と聞いたけど、それは本当？」という意味。「～んだ」は驚いたり感心したりする気持ちを表す。
□ なんで？：どうして？

1番　正答4　[14 CD1]

アパートの前で女の人と男の人が話しています。男の人は何曜日にゴミを出しますか。

F：あ、ちょっと、今日はそのゴミを出す日じゃありませんよ。
M：えっ？　でも、火曜日がゴミの日だと聞いたんですが…。
F：今日はびんや缶を出す日ですから、それ以外のゴミは出せませんよ。
M：そうですか。すみません。こういう燃えるゴミはいつ出せばいいんでしょうか。
F：毎週月曜日と木曜日に出せますよ。
M：わかりました。じゃあ、あさって出します。

男の人は何曜日にゴミを出しますか。

ことばと表現

□ びん：jar, bottle／瓶子／병
□ 缶：can／易拉罐／캔
□ 燃える：to burn／燃烧／타다

2番　正答3　[15 CD1]

ニュースでアナウンサーが話しています。アナウンサーはこの動物園はどんなところだと言っていますか。

M：今日は、さくら動物園にきています。この動物園は、いつもお客さんでいっぱいです。ここでは、小さい動物に直接さわったり、えさをやったりすることができるので、親子で来ることが多いそうです。動物園はあまり広くないですし、動物の数も多くありませんが、このように動物に近づくことができるのが、人気の理由です。さくら駅からバスで10分と、とても近いので、皆さんもぜひ来てください。

アナウンサーはこの動物園はどんなところだと言っていますか。

ことばと表現

□ 動物園：zoo／动物园／동물원
□ 直接：directly／直接／직접
□ えさ：feed, bait／饵食／먹이
□ 親子：親と子ども。

3番　正答3　[16 CD1]

大学で女の学生と男の学生が話しています。男の学生はこれから何をしますか。

F：今度のパーティー、いつがいいかな？
M：そうだね。そろそろ決めなくちゃね。これからみんなに連絡して、参加できる日を聞いてみるよ。
F：ありがとう。店はどこがいいかなあ…。あ、いい店があった。おいしいし、値段も安かったと思う。
M：へー。じゃ、そこにしよう。
F：そうね。じゃ、日にちが決まったら、店の予約は私がするね。

M：おっけー、じゃ、また連絡するよ。

男の学生はこれから何をしますか。

ことばと表現

□ 決めなくちゃ：決めないといけない。

4番　正答1

会社で男の人と女の人が話しています。男の人はどうして会議の時間を変えてほしいと言っていますか。

M：すみません、来週の会議ですが、6時からではなくて、6時半からに変えることはできませんか。
F：え、どうしてですか。
M：6時だと広い会議室が空いていなくて、予約できなかったんです。6時半からなら、空いているそうですが…。
F：そうですか…。
M：ああ、あと、もう少しせまい会議室なら6時から空いているそうです。
F：う～ん。でも、人数も多いですし、やっぱり広い会議室のほうがいいでしょう。じゃ、時間を変えましょう。
M：はい。わかりました。

男の人はどうして会議の時間を変えてほしいと言っていますか。

ことばと表現

□ 人数：人の数。

5番　正答3

大学で先生が話しています。レポートはどうやって出さなければなりませんか。

M：えー、この授業のレポートですが、来週の金曜日までに出してください。私の研究室の前に、箱を置いておきますから、レポートはそこに入れるように。郵便やEメールで送ってきたり、直接私に渡したりしないようにしてください。それから、ときどきレポートが間に合わなかった学生が研究室に相談にくることがありますが、それもだめです。

レポートはどうやって出さなければなりませんか。

ことばと表現

□ ～（する）ように：「～ように。」は「～ようにしてください。」の少し強い言い方。
□ 直接：directly／直接／직접

6番　正答2

電話で女の人と男の人が話しています。男の人はどうして電話をしましたか。

F：はい。
M：ああ、鈴木だけど、もう着いた？
F：うん。
M：今、駅にいるんだけど、事故があったみたいで、電車がなかなか来ないんだ。それで、少し遅れそうなんだ。ごめん！
F：わかった。何時ごろ来られそう？
M：それが、まだわからないんだ。でも、できるだけ早くそっちに行くから、もう少し待っててくれない？
F：わかった。気をつけてね。

男の人はどうして電話をしましたか。

7番　正答3

大学で、女の学生と男の留学生が話しています。男の留学生は大学を卒業したら、何をするつもりですか。

F：もうすぐ4年生ですね。カルロスさんは、卒業したら何をする予定ですか。
M：そうですね。前は卒業したら国へ帰って働くつもりでしたが…。今はもう少し日本にいて、勉強を続けたいと思っています。
F：そうですか。
M：この前、両親に相談しましたが、両親もそれでいいと言ってくれました。
F：よかったですね。
M：ところで、田中さんはどうするんですか。
F：私は東京で働きたいと思っています。今度、東京の会社の試験を受けるつもりです。
M：そうですか。早く決まるといいですね。がんばってください。

男の留学生は大学を卒業したら、何をするつもりですか。

問題3

例　正答3　23 CD1

久しぶりに先生に会いました。何と言いますか。

F：1 ようこそ。
　2 失礼いたしました。
　3 お久しぶりです。

ことばと表現

☐ **ようこそ**：歓迎の気持ちを表す言葉。
☐ **失礼いたしました**：失敗したときに謝る言葉。

1番　正答3　24 CD1

デパートで服を選んでいます。店の人に、もう少し大きいサイズの服を持ってきてほしいです。何と言いますか。

F：1 もう少し大きくしてください。
　2 もう少し大きくしたいんですが…。
　3 もう少し大きいサイズはありますか。

2番　正答2　25 CD1

友達に辞書を借りたいです。何と言いますか。

M：1 その辞書、借りてもらえない？
　2 その辞書、貸してくれない？
　3 その辞書、貸してあげる。

3番　正答1　26 CD1

週末、一緒にコンサートに行きたいです。何と言いますか。

F：1 週末、忙しい？　一緒にコンサートに行かない？
　2 週末、時間ある？　コンサートに行きたいそうだよ。
　3 週末、一緒にコンサートに行ってみたよ。

4番　正答2　27 CD1

友達が風邪でアルバイトを休むと電話してきました。電話を切る時、何と言いますか。

M：1 元気でね。
　2 お大事に。
　3 気をつけて。

5番　正答1　28 CD1

先生に、レポートを出すのが遅れたことを謝りたいです。何と言いますか。

F：1 遅れてしまって、すみませんでした。

2 すみませんが、少しお待ちください。
3 すみません。お待たせしました。

問題4

例　正答2　30 CD3

F：Mサイズしかありませんが、よろしいですか。
M：1 どうぞ。
　　2 結構です。
　　3 かしこまりました。

ことばと表現
□ 結構です：ここでは「それでいいです」。

1番　正答2　31 CD1
M：もう会議の準備は終わりましたか。
F：1 はい、終わりましょう。
　　2 いいえ、まだ終わっていません。
　　3 いいえ、終わりませんでした。

2番　正答3　32 CD1
F：いつ国へ帰りますか。
M：1 いいえ、帰りませんでした。
　　2 もうすぐ3か月です。
　　3 来月帰ります。

3番　正答2　33 CD1
M：ねえ、その写真見せてくれない？
F：1 ええ、見せて。
　　2 ええ、どうぞ。
　　3 ええ、見てあげる。

4番　正答1　34 CD1
F：ここに荷物を置かないで。じゃまだから。
M：1 わかった。片づけるよ。
　　2 ううん、まだ片づけてないよ。
　　3 うん。片づけたかったよ。

5番　正答3　35 CD1
F：髪、伸びたね。そろそろ切ったらどう？
M：1 ありがとう。いいと思うよ。
　　2 うん。切ってくれた。
　　3 うん。そうするよ。

6番　正答1　36 CD1
M：卒業したら、何をするつもりですか。
F：1 日本の会社で働くつもりです。
　　2 はい、来年卒業します。
　　3 日本の会社で働いたことがあります。

7番　正答2　37 CD1
F：遅刻して、すみませんでした。
M：1 どういたしまして。
　　2 次は気をつけてください。
　　3 遅刻しそうでしたね。

8番　正答3　38 CD1
M：京都に行ったことがありますか。
F：1 はい、京都にあります。
　　2 いいえ、行きませんでした。
　　3 はい、あります。

模擬試験 第1回 解答・解説

「N4レベルの漢字をチェック！」②
※難しい読みとN5レベルの漢字は入れていません。

- □ 兄 ケイ キョウ／あに
  - 例 兄弟、兄に習う
- □ 計 ケイ／はか-る
  - 例 計画、計算、合計、時間を計る
- □ 軽 かる-い
  - 例 軽い荷物、軽い運動、軽いけが
- □ 犬 いぬ　　例 子犬
- □ 建 た-てる た-つ
  - 例 家を建てる、建物、駅ビルが建つ
- □ 研 ケン　　例 研究
- □ 県 ケン
  - 例 広島県、県の美術館
- □ 験 ケン　　例 経験
- □ 元 ゲン　　例 元気
- □ 口 コウ／くち
  - 例 人口、口を開ける、入口・出口
- □ 工 コウ　　例 工場
- □ 広 ひろ-い　　例 広い庭
- □ 光 ひか-る ひかり
  - 例 青く光る、月の光
- □ 好 す-き
  - 例 好きな食べ物
- □ 考 かんが-える
  - 例 よく考えて決める
- □ 合 ゴウ／あ-う
  - 例 集合、赤ワインに合う、答えが合う
- □ 黒 コク／くろ くろ-い
  - 例 黒板、黒のペン、黒いセーター
- □ 菜 サイ　　野菜
- □ 作 サク サ／つく-る
  - 例 作文、作業、料理を作る
- □ 産 サン／う-む う-まれる
  - 例 生産、産業、赤ちゃんを*産む、子どもが*産まれる　＊「生」が使われることが多い。
- □ 止 シ／と-まる と-める
  - 例 中止、時計が止まる、機械を止める
- □ 仕 シ　　例 仕事
- □ 市 シ　　例 市役所、市の計画

- □ 死 シ／し-ぬ
  - 例 病気で死ぬ
- □ 私 わたくし わたし
  - 例 私たち
- □ 使 シ／つか-う
  - 例 大使館、使用中
- □ 始 はじ-める はじ-まる
  - 例 作業を始める／授業が始まる
- □ 姉 シ／あね　　例 姉妹、私の姉
- □ 思 おも-う
  - 例 思ったことを書く
- □ 紙 シ／かみ
  - 例 コピー用紙、新聞紙
- □ 試 シ　　例 試験
- □ 字 ジ
  - 例 漢字、難しい字
- □ 自 ジ
  - 例 自動車、自転車、自分
- □ 事 ジ／こと
  - 例 事故、火事、用事、大事な話、自分の事、仕事
- □ 持 も-つ　　例 かばんを持つ
- □ 室 シツ
  - 例 教室、研究室
- □ 質 シツ　　例 質問
- □ 写 シャ／うつ-す
  - 例 写真、ノートに写す
- □ 者 シャ
  - 例 新聞記者、入学者、研究者
- □ 借 シャク／か-りる
  - 例 お金を借りる
- □ 弱 よわ-い　　例 力が弱い
- □ 主 おも　　例 主な産業
- □ 首 くび　　例 首が痛い
- □ 秋 あき　　例 秋の野菜
- □ 終 お-わる お-える
  - 例 授業が終わる／作業を終える
- □ 習 シュウ／なら-う
  - 例 学習、ピアノを習う

模擬試験 第2回 解答・解説

正答一覧

言語知識（文字・語彙）

問題1		問題4	
1	4	25	3
2	1	26	2
3	3	27	2
4	4	28	2
5	2	29	3
6	3	問題5	
7	1	30	4
8	2	31	1
9	1	32	4
問題2		33	3
10	4	34	3
11	1		
12	1		
13	4		
14	2		
15	1		
問題3			
16	1		
17	3		
18	2		
19	4		
20	1		
21	3		
22	4		
23	3		
24	4		

言語知識（文法）・読解

問題1		問題3	
1	3	21	1
2	3	22	1
3	2	23	1
4	1	24	2
5	4	25	3
6	4	問題4	
7	1	26	1
8	4	27	4
9	3	28	2
10	4	29	2
11	4	問題5	
12	3	30	4
13	3	31	1
14	2	32	4
15	2	33	3
問題2		問題6	
16	3	34	1
17	3	35	4
18	2		
19	1		
20	3		

聴解

問題1		問題3	
れい	2	れい	3
1	2	1	1
2	2	2	1
3	2	3	1
4	3	4	3
5	2	5	1
6	4	問題4	
7	3	れい	2
8	2	1	1
問題2		2	3
れい	3	3	3
1	2	4	1
2	3	5	2
3	1	6	3
4	2	7	2
5	3	8	3
6	3		
7	1		

※ 解説では「ことばと表現」でN4レベルの語を取り上げ、チェックボックス（□）を付けています。説明のために取り上げた一部の難しい語には△を付けています。

言語知識（文字・語彙）

もんだい1

1 正答4
ここがポイント

- **お土産**：旅行のときに、人にあげるために買う品物。漢字の意味は「その土地にできる物」。
  - ▶ ☐ 土＝ト、ド／つち
    - 例 土地、土曜日、やわらかい土
  - ▶ ☐ 産＝サン／う−む、う−まれる
    - 例 子犬が産まれた。

2 正答1
ここがポイント

- **洋服**：clothes／西服／옷
  - ※ 着物でない服
  - ▶ ☐ 洋＝ヨウ
    - 例（海の意味→外国を表す。特に西洋）西洋、東洋、洋食
  - ▶ ☐ 服＝フク
    - 例 服を着る

3 正答3
ここがポイント

- **会議室**：会議をする部屋のこと。
  - ▶ ☐ 会＝カイ／あ−う
    - 例 音楽会、会社、会場、会話／友だちに会う
  - ▶ ☐ 議＝ギ
    - 例 議員（assembly member／议员／의원）
  - ▶ ☐ 室＝シツ　　例 教室

4 正答4
ここがポイント

- **辞典**：辞書のこと。
  - ▶ ☐ 辞＝ジ／やーめる（to resign／辞掉／그만두다）
    - 例 辞書／会社を辞める
  - ▶ ☐ 典＝テン
    - 例 古典（classic／古典／고전）

5 正答2
ここがポイント

- **音楽**：music／音乐／음악
  - ▶ ☐ 音＝オン／おと、ね
    - 例 発音、音がする。
  - ▶ ☐ 楽＝ガク、ラク／たのーしい、たのーしむ
    - 例 楽器、楽な仕事、楽しいパーティー、食事を楽しむ

6 正答3
ここがポイント

- **飾る**：to decorate／装饰／장식하다
  - ▶ ☐ 飾＝ショク／かざーる
    - 例 宝飾品、部屋を飾る

7 正答1
ここがポイント

- **番組**：program, show／节目／텔레비전 프로그램
  - ▶ ☐ 番＝バン　　例 番号、一番
  - ▶ ☐ 組＝（ソ）／くみ、くーむ
    - 例 二人一組、チームを組む

8 正答 2
ここがポイント

- 財布：wallet, purse ／钱包／지갑
  - ▶ 財＝サイ、ザイ
    - 例 財産 (property, asset ／财产／재산)
  - ▶ 布＝フ／ぬの
    - 例 毛布、布製

9 正答 1
ここがポイント

- 訪ねる：to visit ／拜访／방문하다
  - ▶ 訪＝ホウ／たず－ねる
    - 例 訪問 (visit ／访问／방문하다)、先生の家を訪ねる

もんだい2

10 正答 4
ここがポイント

- 新しい：new ／新的／새롭다 ⇔ 古い
  - ▶ 新＝シン／あたら－しい
    - 例 新製品、新人、新しいくつ

11 正答 1
ここがポイント

- 特別：special ／特别／특별
  - ▶ 特＝トク
    - 例 特別料金、特急 (superexpress ／特快／특급)
  - ▶ 別＝ベツ／わか－れる
    - 例 別のやり方、男女別、駅で別れる

12 正答 1
ここがポイント

- 捨てる：to throw away ／扔掉／버리다
  - ▶ 捨＝(シャ)／す－てる
    - 例 ごみを捨てる

13 正答 4
ここがポイント

- 古い：old ／旧的／낡다 ⇔ 新しい
  - ▶ 古＝コ／ふる－い
    - 例 中古 (secondhand ／中古、旧货／중고)、古い映画

14 正答 2
ここがポイント

- 貸す：to lend, to loan ／借出／빌려주다 ⇔ 借りる
  - ▶ 貸＝タイ／か－す
    - 例 賃貸マンション／貸したお金を返してもらった。

15 正答 1
ここがポイント

- 世話：care ／照顾／신세를 짐
  - ▶ 世＝セ／よ
    - 例 世界、世の中
  - ▶ 話＝ワ／はなし
    - 例 会話、電話、おもしろい話、話を聞く

もんだい3

16 正答 1
ここがポイント

□ **あげる**：give ／给／주는
例 学校を卒業する妹に花をあげました。

他のせんたくし
2 借りる　例 私は友だちに傘を借りました。
3 くれる　例 友だちは私に花をくれました。
4 貸す　例 私は友だちに傘を貸しました。

17 正答 3
ここがポイント

□ **アルバイト／バイト**：part-time job ／打工／아르바이트　※ドイツ語の arbeit から。
例 アルバイトをする、楽なバイト／アルバイトが3人必要だ。

他のせんたくし
1 サンドイッチ：sandwich ／三明治／샌드위치
2 したく（する）
　例 これから食事の支度をします。
4 用事
　例 急な用事／用事があって、パーティーに行けない。

18 正答 2
ここがポイント

□ **あいさつ（する）**：人に会ったり別れたりするときのことば。
例 あいさつの言葉、あいさつに行く

他のせんたくし
1 運動（する）
　例 健康のため、毎日運動しています。
3 案内（する）　例 町を案内する、案内所
4 遠慮（する）
　例 遠慮しないで、召し上がってください。

19 正答 4
ここがポイント

□ **払う**：to pay ／支付／내다, 지불하다
例 お金を払う

他のせんたくし
1 下がる
　例 値段が下がる
2 行う
　例 けっこん式を行う
3 戻る
　例 自分の席に戻る

20 正答 1
ここがポイント

□ **うるさい**：音や声が大きくて、いやなこと。
例 テレビの音がちょっとうるさい。

他のせんたくし
2 おかしい
　例 彼はいつも、おかしいことを言って、人を笑わせる。
3 うれしい
　例 うれしいニュース／給料が上がって、うれしい。
4 厳しい
　例 厳しい先生、厳しい寒さ

21 正答 3
ここがポイント

□ **予約（する）**：reservation ／预约／예약
例 ホテルを予約する、予約をキャンセルする

他のせんたくし
1 ツイン：〈ホテル〉ベッドが2つの部屋。
2 シングル：〈ホテル〉ベッドが1つの部屋。
4 予定（する）
　例 今週の予定、予定を聞く

22 正答 4

ここがポイント

□ **取りかえる**：
例 電池(battery)を取りかえる

他のせんたくし

1 こわす
例 落として、カメラをこわしてしまった。
2 引っ越す
例 新しい部屋に引っ越した。
3 変わる　例 信号が変わった。

23 正答 3

ここがポイント

□ **動く**：to move ／动／움직이다
例 写真をとるから、動かないで。

他のせんたくし

1 うかがう
例 先生の研究室にうかがいます。
2 受ける
例 試験を受けます。
4 移る
例 となりの部屋に移ります。

24 正答 4

ここがポイント

□ **わかす**：to boil water ／烧开、沸腾／끓이다
例 お湯をわかす

他のせんたくし

1 起こす (to wake somebody up, to cause, to start ／发生／깨우다)
例 毎朝7時に子どもを起こします。
2 わく (to boil ／烧开、沸腾／끓다)
例 お湯がわきました。
3 焼く (to grill, to bake, to roast, to toast ／烧／굽다)
例 パンを焼きました。

もんだい4

25 正答 3

ここがポイント

□ **やむ**：to stop ／停／그치다
例 雨がやんでから出かけます。

26 正答 2

ここがポイント

□ **汚れる**：きたなくなる。
例 汚れた手でさわらないでください。

27 正答 2

ここがポイント

□ **集まる**：to get together ／聚集／모이다
例 夕方になると、この木に鳥が集まります。

28 正答 2

ここがポイント

□ **片づける**：to put away, to clean up, to finish ／收拾／치우다
例 部屋を片づける

29 正答 3

ここがポイント

□ 「Aのかわりにcがする」は「Aはしないで Bがする」という意味。
例 社長の代わりに、私が大阪へ出張しました。

模擬試験 第2回 解答・解説

もんだい5

30 正答4
ここがポイント

□ **すみ**：corner ／角落／구석
　例 ノートのすみに絵をかきました。

他のせんたくし 1 先、2 下の方、3 先、などが適当です。

31 正答1
ここがポイント

□ **大事(な)**：大切(な)。
　例 大事な約束、大事な用事

他のせんたくし 2 ゆっくり、3 気をつけて、4 静かに、などが適当です。

32 正答4
ここがポイント

□ **まじめ(な)**：うそがなくて、一生懸命なこと。
　例 まじめに働く、まじめな生徒

他のせんたくし 1 ちょうどいい、2 丁寧、3 いい などが適当です。

33 正答3
ここがポイント

□ **比べる**：to compare ／比較／비교하다
　例 値段を比べる、兄と背を比べる

他のせんたくし 1 変えました、2 選びました、4 選びました、などが適当です。

34 正答3
ここがポイント

□ **出張(する)**：to travel on business ／出差／출장 가다
　例 大阪へ出張する

他のせんたくし 1 出かけて、2 来て、4 行って、などが適当です。

言語知識（文法）・読解

文法

もんだい１

1 正答：3

「場所＋に＋状態を表す動詞(Verbs that describe situation／表示状態的动词／상태를 나타내는 동사)」の形。
例 子どもが家の前に立っている。

他のせんたくし
1 公園でサッカーをした。(動作の場所：place of action)
2 朝ごはんを食べる。(動作の対象：objection of action)
4 子どもが遊んでいる。

2 正答：3

□「普通よりも多いこと」や「多いことへの驚き」などを表す「も」を付ける。
例 駅までタクシーで行ったら、3000円もかかった。(考えていた値段よりも高かった)

他のせんたくし
1 図書館で勉強した。
2 あの山は高い。(主題：theme)
4 雨が降っている。

3 正答：2

□〜から〜まで：from 〜 to 〜
例 昨日の夜９時から12時まで勉強した。

他のせんたくし
1 私は明日、東京へ行きます。(方向：direction)

3 教室に入ります。(帰着点：result + place)
4 来週の金曜日までに、レポートを提出しなければなりません。(期限：deadline)

4 正答：1

「〜が／は(私に)〜をくれます」の形。
例 父は私にプレゼントをくれました。

5 正答：4

□どういう〜：どんな。what／什么样的／어떤
例 これは日本語でどういう意味ですか。(内容：content／内容／내용)

他のせんたくし
1 道にまよったら、どうしますか。(方法や内容：content／内容／내용)
2 駅まで歩いてどのくらいかかりますか。(時間や程度：degree／程度／정도)
3 どうやって国に荷物を送りますか。(方法や手段：means／手段／수단)

6 正答：4

□だんだん＝少しずつ。gradually／渐渐／점점
例 ３月になって、だんだん暖かくなってきました。(少しずつ変化する)

他のせんたくし
1 会議はあと５分で始まるので、そろそろみんな来ると思います。(＝もうすぐ)
2 ひらがなとかたかなはだいたい読めます。(＝

ほとんど）

3 彼はすぐに戻ると言ったのに、なかなか戻ってきません。（＝簡単に〜ない）

7 正答：1

□ 〜する前に：before doing 〜／做〜之前／〜 하기 전에

例 国に帰る前に、家族におみやげを買っておこう。（V じしょ形＋前に）

8 正答：4

□ 〜ことにする：〜と決める。

例 日本語を勉強するために、日本に留学することにしました。（自分で決めた）

他のせんたくし

1 日本語の新聞が読めるようになりました。（状況の変化）
2 仕事でアメリカにいくことになりました。（周りの事情で決まった）
3 今後の旅行は、2日で3都市を回るのにしました。（〜というものに決めた）

9 正答：3

「その＋名詞」の形。

例 A「昨日田中さんに会いましたよ。」
B「田中さん？ その人はどんな人ですか。」（Aさんが話したことを指す）

他のせんたくし

1 2「こんな、そんな、あんな」は様子を表す。「どんな店ですか」と、あとで様子を聞いているので、使えない。

例 広くて、すてきな家ですね。私もこんな家に住みたいです。

4 A「今度のパーティーは、どこでやりましょうか。」
B「去年パーティーをした、あの店はどうですか。えーと、駅前のさくらレストランです。」（AとBが知っていること）

10 正答：4

□ 〜てくる：to do something and come back here／起来／〜 해오다

例 雪はやみましたか。ちょっと外を見てきます。（V て＋くる）

11 正答：4

□ 〜のに〜：despite the fact 〜／虽然〜／〜 는데

例 彼はパーティーに参加すると言っていたのに、来なかった。（＝言っていた。でも来なかった）

他のせんたくし

1 がんばって勉強すれば、きっと試験に合格できる。（条件）
2 昨日家で勉強していたら、父がコーヒーをいれてくれた。（過去の事実：the truth about past／過去的事実／과거의 사실）
3 昨日は一日中勉強していたので、どこへも行かなかった。（理由）

12 正答：3

「（〜は）〜に〜てもらう」の形。

例 私は姉に英語を教えてもらいました。（＝「姉が」「私を」教えた）

他のせんたくし

1 私は妹の宿題を手伝ってあげました。（＝「私」が手伝った）
2 姉が宿題を手伝ってくれました。（＝「姉」が手伝った））
4 私は姉に引っ越しを手伝わされました。（＝「私」が手伝わされた／使役＋受身：causative／使役／사역＋passive／被动／수동）

13 正答：3

- □貸す：to lend ／借出／빌려주다
  ⇔□借りる：to borrow ／借进／빌리다
  例 私は彼女に消しゴムを貸しました。
  彼女は私に消しゴムを借りました。

他のせんたくし

1 「先週」なので、過去形にしなければならない。
4 木村さんの本を田中さんが「借りた」ので、木村さんは「借りる」「借りた」は使えない。

14 正答：2

Ⅰグループの動詞（行く・買う・書く・立つ・読む など）に「される」が付いた形。
例 子供のころ、母に毎日ピアノの練習をやらされた。（使役+受身）

他のせんたくし

1 田中さんは木村さんを2時間も待たせた。
  （使役：causative ／使役／사역）
3 約束の時間に間に合わなかったが、田中さんは私を1時間も待ってくれた。（感謝の気持ち）
4 弟にケーキを食べられた。（受身：passive ／被动／수동）

15 正答：2

「〜ている」の形。
〈V自+ている（結果の状態：result state, states resulting from change ／结果的状态／결과의 상태）〉
  例 教室の窓が開いている。

他のせんたくし

1 田中さんは今教室の窓を開けています。
  〈V他+ている（動作の進行：progress of action ／动作的进行／동작의 진행）〉
3 教室の窓が開けてある。
  〈V他+てある（誰かの意図的な動作+結果の状態：result state, states resulting from change ／结果的状态／결과의 상태）〉
4 「教室のかぎを閉めましょうか」

「いえ、次の授業もありますから、開けておいてください。」（放置：being unattended ／放置／방치）

もんだい2

16 正答 3

A「気分が 悪そうですね。【早く 2家に 4帰って 3休んだ 1ほうが】いいですよ。」
B「はい。そうします。」
⇒ [早く〈家に〉帰って]休んだほうがいいですよ。

17 正答 3

A「すみません。この 近くに 郵便局は ありますか。」
B「【[〈そこの 4かどを〉 2まがって] 〈5分くらい〉 1歩くと】 右に ありますよ。」
⇒ そこの[〈かどを〉まがって] [5分くらい 歩くと]右にありますよ。

18 正答 2

今日は 1雨も 3ふりそうだし 2家で 4ゆっくり すごす つもりだ。
⇒ 今日は[〈雨も〉ふりそうだし] [〈家で〉ゆっくりすごす]つもりだ。

19 正答 1

A「今のは ねこの 声 ですか。」
B「ええ。近所の 2ねこが 3けんかを 1している 4ようです。」
⇒ 【[〈近所の〉ねこが]けんかをしている】ようです。

もんだい3より前

20 正答3

A「すみません。次の 会議は ₄どこ ₁で ₃ある ₂か わかりますか。」
B「ええ、A会議室ですよ。」
⇒【次の会議は[〈どこで〉ある]か】わかりますか。

もんだい3

21 正答1

「〜とほめられた」は受身の文：
「〜は〜に〜（ら）れる」の形→私は先生にほめられた。

他のせんたくし
2 先生は「ほめられた」のではなく、「ほめた」。

22 正答1

「練習がいい結果につながる」という内容。「〜ば〜ほど…」の形が合う。
練習すればするほど、おもしろくなる。（＝たくさん練習すると、それだけおもしろくなる）
　他の例 安ければ安いほど、うれしい。

他のせんたくし
2 まじめに練習しないと、試合で負けてしまいますよ。
3 テニスを練習するなら、A町のテニスクラブがいいですよ。

23 正答1

「〜するのは…だ」（…を強調）の形。
田中さんも試合に出るのははじめてだ。

他のせんたくし
2 試合は「今度」なので、過去形（past tense form／过去形式／과거형）は使えない。
3、4 前の文の「試合に出る約束」→試合には出る。

24 正答2

前の文が理由。つぎの文は、それを受けた行動を表す。
もっと練習が必要だ。それで、練習に行くことにした。

他のせんたくし
1 私はあまい食べ物が好きだ。例えばケーキやチョコだ。
3 A「ダンスを習いたいんですが、いい教室を知っていますか。」
B「それなら、駅前の教室がいいですよ。」
4 授業が終わった。すると、子供たちは急いで教室から出て行った。

25 正答3

ここは、目的を表す表現になる。
⇒「可能の意味を表す動詞（Verbs that describe possibility／表示可能性动词／가능의 의미를 나타내는 동사）＋ように」の形
　例 試合に勝てるように、がんばって練習しようと思う。

他のせんたくし
1 勝つように→勝てるように
2 勝つために：「意志（volition, will／意志／의지）を表す動詞＋ために」の形
4 勝ったために：「理由を表す動詞＋ために」の形

読解

もんだい4（短文）

（1）「美術館の紹介」

26　正答1

ここがポイント

「この美術館でお金が必要なのは、有名な絵のある部屋に入るときだけ」。ほかのことにはお金がいらない。

他のせんたくし

2→「S市に住んでいる人」がかいた絵で、「S市の景色」の絵ではない。
3→いすがあるのは「いろいろな人のかいた絵をかざった部屋」だけ。
4→コンサートにはお金がいらない。

ことばと表現

- 美術館：museum／美术馆／미술관
- 紹介（する）：introduction／介绍／소개
- かざる：to decorate／装饰／장식하다
- 選ぶ：to choose／选择／선택하다
- （いい絵）ばかり：（いい絵）だけ。just, only／刚～, 只～, 净～／～만
- ところ：場所　location／场所／위치
- コンサート：concert／音乐会／콘서트
- 行う：する。to do, to carry out／进行、举行、实行／행하다
- 必要（な）：necessary／必要的／필요한

（2）「バナナ」

27　正答4

ここがポイント

「店から買ってきて…小さい黒い点がたくさんできます。そのときには、もっと甘く、おいしくなっています」

ことばと表現

- だいたい：ほとんど。about, almost／大概、大约、大致／대강
- 緑色：green／绿色／녹색
- 運ぶ：to carry／搬运／옮기다
- そのまま：as it is／就这样／그대로
- （置い）ておく：（置いて）そのままにする to leave ~ as it is／决定就那样／놓아두다
- 点：point／点、分数／점
- 甘さ：sweetness／甜度／달콤함
- 増える：to increase／増加／증가하다，늘다
  ⇔減る

（3）「この町に住みたい」

28　正答2

ここがポイント

「私は、むかしからの友だちがたくさんいる」から。また、「駅や病院までは…車があれば問題ない」し、「車で行けるスーパーもある」し、電車で「デパートや映画館コンサートホールなどに行ける」から、生活で不便なことがない。

他のせんたくし

1→「空気」のことは言っていない。
3→「歩いて行く」のではなく、車や電車で行く。
4→「駅や病院までは…遠い」し、「電車に2時間」乗るので、交通は便利ではない。

ことばと表現

- 田舎：countryside／农村／시골
- むかし：a long time ago, in the past／过去／옛날
- ずっと：長いあいだ　all the time／一直／쭉，훨씬
- （住み）つづける：長い時間（住む）continue to ~／继续～／～ 계속
  例 飲みつづける、読みつづける

- 気持ちがよい：comfortable ／心情好／기분이 좋다
- スーパー：スーパーマーケット supermarket ／超市／슈퍼마켓
- コンサートホール：concert hall ／音乐大厅／콘서트홀
- 空気：air ／空气／공기
- 生活(する)：life ／生活／생활
- 交通：transportation ／交通／교통

(4)「電話メモ」

29　正答 2

ここがポイント

上田さんは「また電話する」と言ったので、フォンさんは電話を待てばよい。

他のせんたくし

1、4→山川さんは、上田さんの電話を聞いてメモをした人。

ことばと表現

- メモ：note ／记录／메모
- A社：Aという名前の会社。company A ／A公司／A 사
- うかがう：「行く」「聞く」の謙譲語 (humble term ／自谦语／겸양어)
- 間に合う：to be in time ／赶上／시간에 대다
- ～そうにない：たぶん～ないだろう Maybe one doesn't ~. ／大概没有吧／~ 것 같지 않다
  = ～そうもない
- ～とのことです：～と言っていました。(聞いたことを人に伝えるときの言い方) expression to convey what one has heard ／传达听过的表达方式／들은 것을 다른 사람에게 전하는 말씨
- 返事(する)：answer ／回信／답변
- 調べる：to examine ／调查／조사

もんだい 5（中文）

「大人になったと思うとき」

30　正答 4

ここがポイント

姉については第2段落*を見る。「一人で生活するようになって」(4行目*)と書いてあるので、姉は今、両親といっしょに住んでいない。

他のせんたくし

1→昔、両親に「あれをしてはいけない」(2行目)などと注意されていた。

2、3→今は「両親との関係がよくなったと言っている」(5行目)。

31　正答 1

ここがポイント

第2段落は、最初の文も2番目の文も「姉は」で始まる。この段落の文は全部姉について。〈両親の気持ちがわかった人〉も、〈両親との関係がよくなったと言っている人〉も姉。

32　正答 4

ここがポイント

第3段落を見る。「私も大人になったなあと思った」(7行目)のは、「(タクシーに)乗っていいかどうか」を「自分で決め」た(8～9行目)から。

他のせんたくし

1→タクシーに「一人で」乗ったのが初めて。

2→高いお金が「払えた」ことではなくて、高くても乗ろうと「自分で決めた」ことが大切。

3→タクシーに「乗る」ことを決めた。

33 正答 3

ここがポイント

意見を言う形「…のではないか。」に注意。最後の文「家族や友だちと別れて…いろいろな経験をしながら大人になっていくのではないか」がこの人の意見。これは選択肢3番と同じ意味。

他のせんたくし

1→両親との関係については、姉の意見が書いてあるだけ。この人の意見はない。
2→「大人になったと思うときはいろいろある」とは述べていない。
4→経験しなければいけないとは言っていない。

ことばと表現

- □ 大人：adult ／大人／성인
- □ 関係(する)：relationship ／关系／관계
- □ 変わる：to change ／变化／바뀌다
- □ 昔：a long time ago, in the past ／过去／옛날
- □ 注意(する)：care ／注意／주의
- □ わかってる：わかっている。
- □ 怒る：to anger ／生气／화내다
- □ けれども：however ／但是、可是、不过／그렇지만
- □ 生活(する)：life ／生活／생활
- □ しかる：to scold ／叱责／꾸짖다
- □ 気持ち：feeling ／心情／기분
- □ 約束(する)：promise ／约会／약속
- □ 遅れる：to be late ／迟到／늦다
- □ 決める：to decide ／决定／결정하다
- □ 卒業(する)：graduation ／毕业／졸업
- □ 別れる：to split ／分别／나누어지다
- □ 世界：world ／世界／세계
- □ 経験(する)：experience ／经验／경험
- □ 意見：opinion ／意见／의견
- *□ 段落：paragraph ／段落／단락
- *□ 〜行目：the 〜th line ／第〜行／〜째 줄

もんだい6（情報検索）

「自転車駐車場」

34 正答 1

ここがポイント

〈ご注意〉を見る。自転車はS駅南自転車駐車場に「2週間」まで止めることができる。

他のせんたくし

2、3→バイクは「S駅北バイク駐車場」に止める。
4→「2週間以上とめることはできません」⇒「15日間」は×

35 正答 4

ここがポイント

「自転車を入れるとき」「自転車を出すとき」を見る。お金を入れるのは「自転車を出すとき」。

他のせんたくし

1→「自転車を入れるとき」はお金は入れない。
2→「ラックを使わないでとめた自転車は、別な場所に持っていか」れる。
3→「S駅北駐車場はお金がいらない」とは書かれていない。

ことばと表現

- □ 駐車場：車や自転車をとめるところ　parking ／停车场／주차장
- □ とめる：to park ／停下／세우다
- □ バイク：オートバイ　motorcycle ／摩托车／오토바이
- □ 機械：machine ／机械／기계
- □ もどる：前のところに帰る。to return ／返回／돌아가다
- □ ラック：rack ／架子／선반
- □ 利用(する)：使う。
- □ 料金：fee ／费用／요금
- □ ロック：to lock ／上锁／열쇠로 잠그는 것
- □ 注意(する)：care ／注意／주의

模擬試験 第2回 解答・解説

- □ 必ず：絶対に　surely ／一定／반드시
- □ いっぱい(な)：full ／占满、全都用上／가득
- □ ～以上：～より多く　～ more ／以上～／～이상
- □ 別な：another ／其他的／다른
- □ 場所：ところ。place ／地方／곳
- □ 連絡(する)：contact ／联系／연락
- □ 故障(する)：breakdown ／故障／고장

聴 解

問題1

例　正答2　03 CD2

男の人と女の人が話しています。男の人は、このあとまずどこに行きますか。

M：ちょっと本屋に行ってくるね。
F：あっ、じゃあ、朝食用のパンを買ってきてくれない？
M：よく行く駅前のパン屋？
F：あそこまで行かなくていいよ、遠いから。ABCスーパーでいいよ。普通のトースト用のパンでいいから。
M：わかった。
F：ああ、だから、コンビニでもいいよ。
M：うん。じゃあ、帰りに寄るよ。

男の人は、このあとまずどこに行きますか。

パンは「帰りに寄るよ」→帰りに買う。

ことばと表現

□ ～用：～のため。
□ 駅前：駅のそば。
□ トースト：toast／烤面包／토스트

1番　正答2　04 CD2

男の学生と女の学生が話しています。女の学生は明日、どんな服を着ますか。

M：急に頼んでごめんね、明日の司会。
F：ううん。それはいいんだけど、どんな服着て行ったらいいかなあ。
M：服ねえ…。きちんとした感じの服がいいと思うけど。
F：じゃあ、やっぱりスーツか…。上はシャツだけでもいいかなあ。明日もすごく暑くなりそうだから。
M：それはいいんじゃないかなあ。男性もノーネクタイがふつうになったし。

女の学生は明日、どんな服を着ますか。

「やっぱりスーツか」「上はシャツだけでもいいかなあ」がポイント。

ことばと表現

□ きちんとした：neat, well organized, proper, decent／整整齐齐／단정한
□ ノーネクタイ：スーツのときにネクタイをしないこと

2番　正答2　05 CD2

大学で、男の留学生と女の学生が話しています。男の留学生は、このあとまず何をしますか。

M：あきこさん、ちょっといいですか。
F：ああ、リーさん、どうしたの？
M：アルバイトを探したいんですが、何からしたらいいでしょうか。
F：そうねえ…アルバイトの雑誌とか、学校に張ってある紙とかを見て、まずやりたいアルバイトを探すことからね。日本語がわからなかったら、私に見せて。そのあと店に電話しましょう。
M：はい。

男の留学生は、このあとまず何をしますか。

「まずやりたいアルバイトを探すことから」と言っている。

模擬試験 第2回 解答・解説

ことばと表現
- 張る（または「貼る」）：to put up ／粘貼／붙이다
  例 壁にポスターを張る、封筒に切手を貼る

3番　正答2　06 CD2

大学で、男の学生と女の学生が話しています。男の学生は、レポートのためにまず何をしますか。

M：今度のレポートにデータがほしいんだけど、やっぱりネットで探すのが早いかなあ。
F：そうねえ…。でもあの先生、嫌いだよ、ネットから資料を使うの。
M：そうか…。じゃ、自分でアンケートをとろうかなあ。
F：いいけど、100は集めないとだめだよ。
M：え？　それは無理。
F：大学の図書館は行った？
M：いや、まだ。
F：じゃあ、行かないと。ていねいに探せば、何か見つかるよ。古い新聞なんかもたくさんあるし。
M：わかった。

男の学生は、レポートのためにまず何をしますか。

「大学の図書館は行った？」「じゃあ、行かないと」がヒント。

ことばと表現
- データ：data ／数据／데이터
- ネット：インターネット。
- 無理（な）：impossible, unreasonable ／无理的／무리한

4番　正答3　07 CD2

バスの中で、旅行会社の人が話しています。バスの中のお客さんは、このあとまず何をしますか。

F：今日は午後に、さくらやま神社を見学して、りんご園に行きます。もちろん、りんごはその場で食べることができ、また、お持ち帰りもできます。どうぞお楽しみに。ではその前に、昼食のお時間です。あちらに見えるレストランの2階に、席をご用意しています。お食事が終わりましたら、1階にお土産物のコーナーがありますので、お買い物をお楽しみください。1時半にはバスにお戻りください。

バスの中のお客さんは、このあとまず何をしますか。

「ではその前に、昼食のお時間です」とある。

ことばと表現
- りんご園：りんごを作っているところ。
- その場：（何かが行われている）その場所。
- （お）持ち帰り：（食べ物などを）店で食べないで、持って帰ること。
- お楽しみに：楽しみに待っていてください。
- コーナー：売り場や会場などの、ある部分。英 corner から。

5番　正答2　08 CD2

女の人と男の人が話しています。二人は結婚祝いに何をあげますか。

F：あきこちゃんへの結婚祝い、何にしましょう。
M：うーん…。二人の写真を飾れるように、写真立てとか？
F：いいけど、写真立ては誰かほかの人も選びそう。
M：じゃあ、ワインは？　あきこちゃん、ワイン、好きだから。
F：それだったら、ワイングラスのほうがいいんじゃない？　長く使えるから。

M：でも、だめだ。彼がお酒飲めなかったんだ。うーん、じゃあ、カタログから好きなものを選んでもらおうか。
F：それはいやよ。やっぱり何か自分たちで選んであげましょうよ。…あ、おなべのセットは？ あきこちゃんは料理好きだから、喜ぶと思う。
M：ああ、いいね。それにしよう。

二人は結婚祝いに何をあげますか。

ことばと表現

- **祝い**：祝うこと。祝う気持ちを表す贈り物や言葉。
- **写真立て**：写真を飾るために置かれるもの。
- **カタログ**：catalog ／商品目录／카탈로그

6番　正答4

女の人と男の人が話しています。今年の夏、どんなところに行きますか。

F：今年の夏は、どこに行く？
M：久しぶりに京都に行きたいな。お寺を見に行きたい。
F：でも、京都って、夏暑いじゃない。昔8月に行った時、すごく暑かった。
M：そう…。じゃあ、どこか海に行く？
F：うーん…あまり日焼けしたくないのよね。
M：文句ばかりだなあ。じゃあ、プールのあるホテルにでも泊まる？
F：それより山のほうがいいな。となりの原さん、最近、よく山に登るらしいんだけど、話を聞いてたら行きたくなっちゃって。
M：じゃあ、そうしてみるか。

今年の夏、どんなところに行きますか。

ことばと表現

- **日焼け**：sunburn, suntan／晒黑／햇볕에 탐
- **文句**：complaint／牢骚／불평

7番　正答3

写真屋で、女の人と店の人が話しています。女の人は、いつ写真を取りに来ますか。

F：今日撮ってもらった写真は、いつできますか。
M：来週の火曜日にはできます。
F：えっ、そんなにかかるんですか。できれば、明日、母に送りたいんですが…。
M：申し訳ありません。明日は日曜で、休みでして。
F：じゃあ、今日か、あさっての月曜はどうですか。
M：ちょっとお待ちください。……お待たせしました。あさってでしたら、なんとかご用意できそうです。
F：ああ、よかったです。じゃ、それでお願いします。

女の人は、いつ写真を取りに来ますか。

「あさっての月曜」「あさってでしたら、なんとかご用意できそうです」から答えは3。

ことばと表現

- **なんとか（〜する）**：いろいろ工夫や努力をして（〜する）。

8番　正答2

会社で、女の人とアルバイトの男の学生が話しています。男の学生は、このあと最初に何をしますか。

F：これは商品の注文リストで、店ごとになっています。それぞれ箱に分けて、今日の4時までに出します。
M：はい。
F：じゃあ、まず、棚から商品を集めてくれますか。で、ここで箱に入れてください。箱のサイズは4種類あるので、合うものを選

んでください。
M：わかりました。
F：全部箱に入れたら、1階の倉庫に運んでください。
M：わかりました。

男の学生は、このあと最初に何をしますか。

「まず、棚から商品を集めてくれますか」と言っている。

ことばと表現
- 商品：product ／商品／상품
- 注文(する)：order ／订货／주문
- リスト：list ／列表／리스트
- 〜ごと：by 〜 ／每个〜／〜 마다
- 倉庫：warehouse ／仓库／창고

問題2

例　正答3　[13 CD1]

男の学生と女の学生が話しています。女の学生は、どうしてアルバイトをやめましたか。

M：アルバイトやめたんだって？
F：うん。
M：お金は結構良かったんでしょ？
F：うん、良かったよ。おかげで留学するためのお金もできたし。
M：じゃあ、なんで？
F：最近、勉強のほうが大変になってきちゃって。
M：そうなんだ。

女の学生は、どうしてアルバイトをやめましたか。

ことばと表現
- 〜(んだ)って？：「〜って」は伝え聞いたことを表す。「〜って？」は「〜と聞いたけど、それは本当？」という意味。「〜んだ」は驚いたり感心したりする気持ちを表す。
- なんで？：どうして？

1番　正答2　[14 CD2]

女の人と男の人が話しています。男の人は、どうして残念だと言っていますか。

F：お疲れさま。田中さん、スピーチ上手ね。
M：そんなことないよ。失敗ばっかり。
F：そう？ 全然わからなかった。数字とか間違えた？
M：いや、そういうのはない。でも、大事なことを言うのを忘れちゃって。それが残念。
F：そっか…。
M：昨日も仕事でミスしちゃったし、最近うまくいかないなあ。
F：でも、ほんとによかったよ。わかりやすかったし。
M：そうかなあ。でも、ありがとう。

男の人は、どうして残念だと言っていますか。

ことばと表現
- スピーチ：人の前で話すこと。
- 〜とか：はっきりしないことを示すときの表現。とりあえず例を出すときなどに使う。
  例 最近は、引っ越しの準備とかで忙しい。

2番　正答3　[15 CD2]

女の人と男の人が話しています。男の人は最近、どれくらい走っていますか。

F：久しぶり。あれ、だいぶやせたね。
M：うん。去年からジョギングをするようになって。
F：そうなんだ。毎日？
M：いや、毎日じゃないんだけどね。でも、だいたい週に4日は走ってる。

F：4日も!? 私も前は土日にスポーツクラブに行ってたんだけど、今は何も運動してない。
M：そうなんだ。ああ、あと、山にも毎月1回は行ってるよ。
F：へー。私も何かやろうかなあ。

男の人は最近、どれくらい走っていますか。

ことばと表現

□ どれくらい：どのぐらい。
□ 土日：土曜日と日曜日。

3番　正答1　16 CD2

女の学生と男の学生が話しています。男の学生は、どうして友達が来ないと言っていますか。

F：石川くん、来ないね。迷子になってんじゃない？
M：大丈夫だと思うよ。地図、渡してあるし。
F：日にち間違えたりしてないよね？
M：それはないよ。昨日会った時に、明日はバイト終わってから行くって言ってたから。
F：そうなんだ。ねえ、メールとか来てない？
M：ちょっと待って。…あ、来てた。熱があるから今日はごめんなさいって。
F：なーんだ。

男の学生は、どうして友達が来ないと言っていますか。

「熱があるから」がポイント。「具合が悪い」は「体調が悪い」。

ことばと表現

□ 迷子になる：自分がどこにいるか、わからなくなる。

4番　正答2　17 CD2

センターで、案内を聞いています。何をしてはいけませんか。

F：本日お使いになるのは、会議室Aですね。すみませんが、今日はとなりの部屋で試験を行なっていますので、なるべく静かにしていただくよう、ご協力ください。普通に話すのは大丈夫です。それから、お弁当を食べたり、飲み物を飲んだりするのもかまいません。ただし、ゴミ箱は置いていませんので、ゴミは持ち帰ってください。あと、パソコンが必要な場合は、こちらでお貸しすることもできます。

何をしてはいけませんか。

「ゴミは持ち帰ってください」から、答えは2。

5番　正答3　18 CD2

男の学生と女の学生が話しています。二人は、どうやって美術館に行きますか。

M：ここから美術館までどうやって行く？地下鉄だと1駅。バスだと10分かかるかな。
F：歩いて行こうよ。町を見ながら歩くほうが楽しいじゃない。
M：でも、受付が5時までだよ。
F：え、全然時間がないじゃない。それだったら、タクシーにしようよ。遅れたらいやだもん。
M：そうだね。地下鉄の駅もバス乗り場もよくわからないからね。

二人は、どうやって美術館に行きますか。

模擬試験 第2回　解答・解説

6番　正答3　[19 CD2]

女の人と男の人が話しています。男の人は、サッカーを何年しましたか。

F：田中さん、学生の時、サッカーをやってたんですね。部長から聞きました。
M：はい。中学の時に3年、それから高校の時も3年、クラブ活動でやってました。
F：今はやってないんですか。
M：<u>働き出して</u>、はじめの1年は町のサッカークラブに入っていたんです。でも、ここに移ってからの2年は、全くやってませんね。
F：そうですか。また、できればいいですね。
M：ええ、最近、また探しているところです。

男の人は、サッカーを何年しましたか。

中学で3年、高校で3年、仕事を始めてから1年。合計で7年。

ことばと表現

□ 働き出す：仕事を始める。

7番　正答1　[20 CD2]

男の学生と女の学生が話しています。二人は、どこで会いますか。

M：日曜のセミナー、一緒に行こうよ。
F：うん。あさひ町の国際センターだよね。どこで会おうか。
M：センターの入口でいいんじゃない。
F：うーん。初めてだからちょっと不安だなあ。駅のほうじゃ、だめ？
M：いいよ。じゃ、港町駅の改札にしようか。
F：…ああ、でも、もしかしたら遅れるかもしれないから、どこかお店のほうがいいなあ。それか、本屋さんとか。
M：駅の中にABCブックっていう本屋があるよ。
F：じゃあ、そこにしよう。

二人は、どこで会いますか。

「駅の中に本屋が」「そこにしよう」から、答えは1。

問題3

例　正答3　[23 CD1]

久しぶりに先生に会いました。何と言いますか。

F：1　ようこそ。
　　2　失礼いたしました。
　　3　お久しぶりです。

ことばと表現

□ ようこそ：歓迎の気持ちを表す言葉。
□ 失礼いたしました：失敗したときに謝る言葉。

1番　正答1　[24 CD2]

コピーをしたいのですが、やり方がわかりません。聞きたいです。何と言いますか。

F：1　ちょっと教えてほしいんですが。
　　2　ちょっと教えてもいいですか。
　　3　ちょっと教えてあげましょうか。

2、3→「自分が相手に教える」場合の表現。

2番　正答1　[25 CD2]

先生の研究室に入ります。何と言いますか。

M：1　失礼します。
　　2　ごめんください。
　　3　よろしくお願いします。

□ ごめんください：人の家に行ったとき、玄関でその家の人を呼ぶ言葉。

3番　正答1　[26 CD2]

先輩が荷物を持っています。重そうです。何と言いますか。

F：1　荷物、持ちましょうか。
　　 2　荷物、取ってくれますか。
　　 3　荷物、貸してもらいます。

2、3 →「相手が自分に何かをしてくれる」ことについての表現。

4番　正答3　[27 CD2]

国に帰ります。先生や友達に何と言いますか。

M：1　お先に。
　　 2　おだいじに。
　　 3　どうぞお元気で。

ことばと表現

□ お先に：会社などで、自分が先に帰るときに使う言葉。
□ お大事に：病気やけがをした人に使う言葉。

5番　正答1　[28 CD2]

友達が電話しています。でも、ここで携帯電話を使ってはいけません。何と言いますか。

F：1　ここで携帯を使ったらだめだよ。
　　 2　ここでは携帯は使わなくていいよ。
　　 3　ここは携帯が使いにくいね。

ことばと表現

□ ～てはいけない：～たらだめ。

問題4

例　正答2　[30 CD2]

F：Mサイズしかありませんが、よろしいですか。
M：1　どうぞ。
　　 2　結構です。
　　 3　かしこまりました。

ことばと表現

□ 結構です：ここでは「それでいいです」。

1番　正答1　[31 CD2]

F：いろいろお世話になりました。
M：1　こちらこそ、ありがとうございました。
　　 2　ええ、お世話いただきました。
　　 3　みなさんのおかげです。

2 →「自分が相手に世話をしてもらった」ことになる。

ことばと表現

□ ～のおかげです：自分がうまくいったときなどに、「～が助けてくれたから、うまくいった」と、感謝の気持ちを表す言葉。

2番　正答3　[32 CD2]

M：課長に相談したらどう？
F：1　うん、そうしたほうがいいよ。
　　 2　うん、聞くといいよ。
　　 3　うん、そうしようと思う。

1、2 → 相手の行動について、意見などを言うときの表現。

3番　正答3　[33 CD2]

F：あのう、これ、頼んだものと違うんですが。
M：1　おかまいなく。
　　 2　ごめんください。
　　 3　失礼いたしました。

模擬試験 第2回　解答・解説

1 →「私のことは気にしなくていいですよ」という意味の言葉。
2 → 人の家に行ったときに、玄関でその家の人を呼ぶ言葉。

4番　正答1

F：どんなスポーツが好きですか。
M：1　水泳以外は何でも。
　　2　昨日も運動しましたよ。
　　3　ええ、少しなら。

5番　正答2

F：ちょっとよろしいでしょうか。
M：1　それはよくないですね。
　　2　はい、何でしょうか。
　　3　ええ、よかったですね。

ことばと表現

□ **ちょっとよろしいでしょうか/いいですか**：今話をしていいか、相手に聞くときの言葉。

6番　正答3

M：これ、田中さんに渡しておいてくれる？
F：1　じゃあ、そうしてもらいましょう。
　　2　ええ、あそこに置いてありますよ。
　　3　はい、田中さんですね。

2 → 今から渡すので、「置いてある」は×。「これ」と「あそこ」も合わない。

7番　正答2

M：風邪がひどくて、昨日は休みました。
F：1　お疲れさま。
　　2　もう大丈夫？
　　3　どうしたの？

ことばと表現

□ **お疲れさま**：仕事が終わったときなどに使う言葉。

8番　正答3

M：試験に合格したそうですね。
F：1　はい、大丈夫です。
　　2　どういたしまして。
　　3　ええ、おかげさまで。

ことばと表現

□ **おかげさまで**：自分がうまくいったときなどに、「～が助けてくれたから、うまくいった」と、感謝の気持ちを表す言葉。

模擬試験 第3回 解答・解説

正答一覧

言語知識（文字・語彙）

問題1		問題4	
1	3	25	4
2	2	26	4
3	4	27	4
4	1	28	2
5	2	29	1
6	3	問題5	
7	1	30	1
8	3	31	4
9	2	32	4
問題2		33	3
10	1	34	1
11	4		
12	2		
13	3		
14	3		
15	1		
問題3			
16	2		
17	1		
18	4		
19	3		
20	1		
21	2		
22	2		
23	3		
24	3		

言語知識（文法）・読解

問題1		問題3	
1	4	21	1
2	1	22	2
3	1	23	2
4	2	24	2
5	2	25	2
6	4	問題4	
7	1	26	3
8	4	27	3
9	2	28	4
10	2	29	3
11	4	問題5	
12	2	30	2
13	4	31	4
14	2	32	4
15	1	33	2
問題2		問題6	
16	3	34	3
17	3	35	1
18	2		
19	4		
20	1		

聴解

問題1		問題3	
れい	2	れい	3
1	3	1	3
2	2	2	1
3	3	3	2
4	3	4	3
5	2	5	1
6	2	問題4	
7	4	れい	2
8	4	1	2
問題2		2	1
れい	3	3	3
1	2	4	3
2	3	5	1
3	3	6	1
4	4	7	1
5	1	8	2
6	1		
7	2		

※ 解説では「ことばと表現」でN4レベルの語を取り上げ、チェックボックス（□）を付けています。説明のために取り上げた一部の難しい語には△を付けています。

言語知識（文字・語彙）

もんだい1

1 正答3
ここがポイント

- 旅行（する）：travel ／旅行／여행
  - ▶ 旅＝リョ／たび
    - 例 旅館、旅客機（＝飛行機）、船旅、一人旅
  - ▶ 行＝コウ、ギョウ／いーく、おこなーう
    - 例 銀行、行動、一行で書く、試験を行う

2 正答2
ここがポイント

- 計画（する）：plan ／计划／계획
  - ▶ 計＝ケイ／はかーる
    - 例 計算（calculation ／计算／계산）、合計（total ／合计／합계）、会計（accounting ／会计／회계）
  - ▶ 画＝ガ、カク　例 映画

3 正答4
ここがポイント

- 事故：accident ／事故／사고
  - ▶ 事＝ジ／こと
    - 例 用事、仕事、事務所、返事、大事な品物
  - ▶ 故＝コ
    - 例 故障（failure, trouble ／故障／고장）

4 正答1
ここがポイント

- 音楽：music ／音乐／음악
  - ▶ 音＝オン／おと
  - ▶ 楽＝ガク、たのーしい
    - 例 楽しい旅行

5 正答2
ここがポイント

- 映画：movie ／电影／영화
  - ▶ 映＝エイ／うつーる、うつーす
    - 例 映画館
  - ▶ 画＝ガ、カク
    - 例 漫画、（漢字の）画数

6 正答3
ここがポイント

- 試験：test ／考试／시험
  - ▶ 試＝シ／こころーみる、ためーす
    - 例 試合、新しい方法を試みる、新人を試す
  - ▶ 験＝ケン

7 正答1
ここがポイント

- 動物園：zoo ／动物园／동물원
  - ▶ 動＝ドウ／うごーく　例 自動車、運動
  - ▶ 物＝ブツ／もの
    - 例 品物、買い物、食べ物、飲み物、乗り物、贈り物、着物、果物
  - ▶ 園＝エン／その　例 公園

解答・解説

8 正答 3
ここがポイント

- 残念(な)：unfortunate, regretful ／遗憾的／유감스러운
  - ▶ 残＝ザン／のこーる、のこーす
    - 例 残った料理、残りの時間
  - ▶ 念＝ネン

9 正答 2
ここがポイント

- 空港：airport ／机场／공항
  - ▶ 空＝クウ／そら　　例 空気、青空
  - ▶ 港＝コウ／みなと　例 港町

もんだい2

10 正答 1
ここがポイント

- 楽しい　例 楽しい映画
  - ▶ 楽＝ガク、ラク／たのーしい、たのーしむ
    - 例 音楽、楽器、楽な仕事、スポーツを楽しむ

11 正答 4
ここがポイント

- 病院：hospital ／医院／병원
  - ▶ 病＝ビョウ／やまい　例 病気
  - ▶ 院＝イン　例 大学院

12 正答 2
ここがポイント

- 運ぶ：to carry ／搬运／옮기다
  - ▶ 運＝ウン／はこーぶ
    - 例 運転、運動、いすを運ぶ

13 正答 3
ここがポイント

- 料理：dish, food ／料理／요리
  - ▶ 料＝リョウ　例 資料、料金
  - ▶ 理＝リ　　　例 地理、理由、無理、修理

14 正答 3
ここがポイント

- 魚：fish ／鱼／생선
  - ▶ 魚＝ギョ／さかな、うお
    - 例 魚を釣る

15 正答 1
ここがポイント

- 姉：elder sister ／姐姐／언니(누나)
  - ▶ 姉＝シ／あね　例 姉妹

もんだい3

16 正答 2
ここがポイント

- 下宿(する)：一つの家の中の一部屋を借りて、部屋代や食事代を払って住むこと。
  - 例 大学に入学したら、下宿します。

他のせんたくし

1 結婚(する)
  例 来月、結婚します。
3 計画(する)
  例 旅行を計画しています。
4 経験(する)
  例 海外での生活を経験しました。

模擬試験 第3回 解答・解説

17 正答 1
ここがポイント

□ **柔らかい**：soft／柔软的／부드러운
例 柔らかいベッド、柔らかい肉

他のせんたくし
2 低い　　例 低いテーブル、低い温度
3 深い　　例 深い皿、深い考え
4 正しい　例 正しい答え

18 正答 4
ここがポイント

□ **出発（する）**：departure／出发／출발
例 飛行機は1時に出発します。

他のせんたくし
1 出席（する）
　例 会議に出席する
2 紹介（する）
　例 友達を紹介する
3 準備（する）
　例 パーティーの準備をする

19 正答 3
ここがポイント

□ **悪い**：bad／坏的／나쁜
例 悪い知らせ、悪い結果

他のせんたくし
1 少ない　例 給料が少ないです。
2 悲しい　例 犬が死んで悲しいです。
4 眠い
　例 朝5時に起きたので、眠いです。

20 正答 1
ここがポイント

□ **冷える**：冷たくなる。
例 冷えたビールをください。

他のせんたくし
2 変える　例 予定を変える
3 運ぶ　　例 荷物を運ぶ
4 なくす　例 メモをなくす

21 正答 2
ここがポイント

□ **いじめる**：to tease／欺负／괴롭히다
例 私が誰かにいじめられると、兄が必ず助けてくれた。

他のせんたくし
1 片づける
　例 部屋を片付ける
3 亡くなる
　例 おじいさんは、去年、亡くなりました。
4 死ぬ
　例 水がないと死にます。／魚が死んでいました。

22 正答 2
ここがポイント

□ **承知（する）**：わかっています。
例 「じゃ、15日までにこれを500個お願いします」「承知しました」

他のせんたくし
1 招待（する）
　例 結婚式に先生を招待しました。
3 卒業（する）
　例 M大学を卒業しました。
4 返事（する）
　例 呼ばれたら、返事してください。

23 正答 3
ここがポイント

□ **背中**：back／背／등

他のせんたくし
1 水泳　　例 水泳大会
2 線　　　例 線を引く
4 試合
　　　　　例 試合に出る、試合に勝つ・負ける

24 正答 3
ここがポイント

□ **無理（な）**：impossible, unreasonable／无理的／무리한
　例 これを1日でやるなんて、無理です。

他のせんたくし
1 わけ　　例 遅れたわけを聞きたい。
2 理由　　例 やめた理由は何ですか。
4 はず　　例 荷物は今日届くはずです。

もんだい4

25 正答 4
ここがポイント

□ **こしをかける**：座る。「こしかけます」ともいう。
　例 机にこしをかけないでください。

26 正答 4
ここがポイント

□ **たしか（な）**：はっきりしています。はっきりわかっています。
　例 明日雨が降るというのは確かですか。

27 正答 4
ここがポイント

□ **気をつける**：注意します。
　例 車に気をつけてください。

28 正答 2
ここがポイント

□ **相談（する）**：ほかの人に話して意見を聞くこと。
　例 一人で悩まないで、誰かに相談したほうがいい。

29 正答 1
ここがポイント

□ **道をたずねる**：行き方を聞きます。
　例 交番で道を尋ねました。

もんだい5

30 正答 1
ここがポイント

□ **ごぞんじ（です）**：「知っています」のていねいな言い方。
　例 先生は私の父をごぞんじでしたか。

他のせんたくし　2、3、4は「知っています」が合う。

31 正答 4
ここがポイント

□ **細かい**：detailed, minute／细致的、细小的／까다롭다
　例 「細かいお金持ってる？」「いや、1万円しかない」／細かい砂、細かい作業、細かいルール

他のせんたくし　1、2、3は 小さい が適当です。

模擬試験 第3回 解答・解説

32 正答 4

ここがポイント

□ **弱い**：weak／弱的／약하다 ⇔ 強い
　例 弱いチーム／妹は体が弱いから、すぐ風邪をひく。

他のせんたくし 1 低い、2 安い、3 忙しい、などが適当です。

33 正答 3

ここがポイント

□ **引っ越す**：moving／搬家／이사
　例 来週、A町からB町へ引っ越します。

他のせんたくし 1 うつりました、2 うつしました、4 うつしました、などが適当です。

34 正答 1

ここがポイント

□ **失礼します**：人に何かを聞くとき、謝るとき、別れるときなどに使う言葉。
　例 失礼ですが、山本さんですか。／大変、失礼しました。／では、私は失礼します。
　（＝ここを出ます、帰ります、などの意味）

他のせんたくし 2 お帰りになります、3 帰ります、4 走り出しました／行きました、などが適当です。

言語知識(文法)・読解

文法

もんだい1

1 正答4

□ ○○語で…という
□ ○○語で…を表す(…の意味だ)
例 これは日本語で何と言いますか。

他のせんたくし
1 公園にこどもがいます。(存在の場所:place of existence)
2 朝ごはんを食べます。(動作の対象:object of action)
3 子どもが遊んでいます。

2 正答1

「(〜は/が)〜に〜(ら)れる」の形。(受身:passive／被动／수동)
例 (私は)先生にしかられた。

他のせんたくし
2 先生は学生をほめた。

3 正答1

□ 〜になる:to become 〜／变成〜／〜하게 되다(変化)
例 よく寝たら、元気になりました。(NA＋になる)

他のせんたくし
2 髪が長くなったので、切りたいです。(A「ーく」＋なる)

4 正答2

□ 〜までに:by〜, before〜／〜之前／〜까지
例 来週の金曜日までに、レポートを提出しなければなりません。

他のせんたくし
1 昨日の晩、9時から12時まで勉強しました。
3 今までも、これからも、友達です。
4 お祭りなので、明日まではとても忙しいです。

5 正答2

□ 〜かどうか:whether or not／是〜还是〜／〜할지 어떨지
「か」は疑問(question／疑问／의문)を表す。
例 明日は晴れるかどうかわかりません。

他のせんたくし
1 弟は500円しか持っていません。(「〜ない」といっしょに使う)
3 A:「どのあめがほしい? 赤いの? 青いの?」
　 B:「赤いのがほしい。」
4 言葉の意味がわからないときは、辞書を引くとか、友達に質問するとかして調べてください。

6 正答4

□ どこにも〜ない:There is no where／怎么也〜／어디에도 〜 없다
例 娘はどこにもいなかった。

他のせんたくし
1 どこでも無料で配達します。(＝everywhere)

模擬試験 第3回 解答・解説

3 A:「ピザとパスタ、どちらがいいですか。」
　B:「どちらでもいいです。」（= whichever）

7　正答 1

□ **すっかり**：完全に。
　例 彼との約束をすっかり忘れていた。

他のせんたくし

2 彼の話は難しく、ちっともわからなかった。
　（=少しも）
3 昨日は天気が良く、富士山がはっきり見えた。
4 10人以上必要だ。5人じゃ、ぜんぜん足りない。

8　正答 4

□ **～(した)あとで**：after~ ／～之后／～나중에
「動詞のタ形＋あとで」の形。
　例 お風呂に入ったあとで、夕食を食べます。

9　正答 2

「A くする」の形。
　例 字が小さくて読みにくいので、もう少し大きくしてください。

他のせんたくし

1 もう少し静かにしてください。（NA ＋にする）
3 4 子供が寝たので静かになりました。（NA ＋になる）

★「～する」と「～なる」：
　～する：（人やものが）何かを変化させること。
　～なる：（人やものが）変化すること。

10　正答 2

「(～は)～に～てもらう」の形。
　例 私は姉に英語を教えてもらいました。（=「姉が」「私に」教えた。）

他のせんたくし

1 私は友達に日本料理を教えてあげました。
　（=「私が」教えた）
3 友達は私に中国料理を教えてくれました。
　（=「友達が」教えた）
4 私は姉に引っ越しを手伝わされました。
　（=「私が」手伝わされた／使役＋受身）

11　正答 4

□ **～だす**：to start to ~／～起来／～하기 시작하다
※ V だす→V の形は「○○ます」の○○
　例 田中さんはさっきまで笑っていたのに、急に泣き出した。

12　正答 2

「(場所)に～が～てある」の形。
※「V 他＋てある」（結果の状態：result state, states resulting from change／結果的状態／결과의 상태）
　例 教室に本が置いてある。

他のせんたくし

1 彼は、今、本を読んでいる。（「V 他＋ている」／動作の進行：progress of action／动作的进行／동작의 진행）
3 今日友達が来るので、部屋を掃除しておいた。（準備：preparation／准备／준비）
4 母は私に、ピアノを習わせた。（使役：causative／使役／사역）

13　正答 4

□ **～そうだ**：to look ~／看起来～／～것 같다
※ V そうだ→V の形は「○○ます」の○○
　例 父親にしかられて、その子は泣きそうだった。

14 正答 2

- ～(さ)せていただけませんか：Could you please let me do～／能让我～吗？／～ 해 주시지 않겠습니까？
  例 今日は体の調子が悪いので、授業を休ませていただけませんか。

他のせんたくし
1 このバスは多くの人に使われている。（受身）
3 こんなくだらないパーティーに１万円も使わされた。（使役＋受身）
4 すみません、ちょっとパソコンを使ってもいいですか。（許可：permission／许可／허가）

15 正答 1

- ～つもり：to intend to～／准备／～ 예정
  「Ｖじしょ形＋つもり」の形。
  例 今年の秋、京都に旅行に行くつもりです。

もんだい 2

16 正答 3

A「来週の パーティーの 場所 を知りたいんですが、₄だれ ₁に ₃聞けば ₂わかりますか。」
⇒ [〈来週のパーティー〉の場所]を知りたいんですが、[〈だれに〉聞けば]わかりますか。

17 正答 3

A「すみません。資料を 部屋に ₂忘れたので ₁取りに ₃行って ₄きます。」
⇒【[〈資料を〉部屋に忘れた]ので】〈取りに〉行ってきます。

18 正答 2

A「おなかが すきましたね。」
B「ええ。カレー ₁でも ₃食べ ₂に ₄行きましょう か。」
⇒ [〈カレーでも〉食べに]行きましょうか。

19 正答 4

11月に 入って、₃だんだん ₁寒く ₄なって ₂きた。
⇒ 11月に入って、[〈だんだん〉寒くなってきた]。

20 正答 1

A「ねえ、知ってる？ 田中さんが ₂つとめている ₄会社が ₁テレビで ₃紹介される らしいよ。」
⇒ [[〈田中さんが勤めている〉会社が]〈テレビで〉紹介される]らしいよ。

もんだい 3

21 正答 1

- ～たばかり：～て間もない、～てからあまり時間がたっていない。

他のせんたくし
2 日本へ来てから、日本語の勉強を始めました。（Ｖて＋から）
3 日本へ来る前、会社で働いていました。（Ｖじしょ形＋前）
4 晴れているうちに、写真をたくさん撮った。（Ｖている＋うちに）

22 正答 2

毎朝くだものを食べます。例えば、バナナやリンゴです。

模擬試験 第3回 解答・解説

他のせんたくし

1 私は日本へ留学したいと父に言った。<u>しかし</u>、父は反対した。（＝でも）
3 このホテルは安いし、<u>それに</u>、駅からも近い。（＝また）
4 明日、<u>もし</u>、雨が降ったら、試合はありません。

23 正答2

□ **～そうだ**：to look ~ ／看起来～／～것 같다
例 雪も降り始め、外は寒そうです。
※ A そうだ→ A の形は「○○い」の○○
　NA そうだ→ NA の形は「○○な」の○○

他のせんたくし

１３４ 「〈ふつう形〉＋そうです」は伝聞（人やニュースなどから聞いたこと）の表現。

24 正答3

「時間はかかったが（～できた）」という意味。

他のせんたくし

1 おもしろいので、<u>もっと</u>話を聞きたい。
2 先週から<u>ずっと</u>雨が降っている。
4 こんなに努力したんだから、<u>きっと</u>うまくいく。

25 正答2

「(～は)～に～てもらう」の形。
友達につれて行って<u>もらった</u>。（＝「<u>友達が</u>」<u>私</u>をつれて行った）

他のせんたくし

1 「<u>友達は</u>私をお寺へつれて行って<u>くれました</u>。」なら OK。

読解

もんだい4（短文）

（1）「よくない買い方」

26 正答3

〈ここがポイント〉

買い物は、①「本当にそれを使うかどうか」、②「うちに置く場所があるかどうか」を考えることが大切だと言っている。
①②を考えない、よくない例は3番。必要なトマト（1個）に対して、買うトマト（10個）がとても多い→あとで置く場所や使い方に困るだろう。

〈他のせんたくし〉

1→「着る予定を考える」のは①を考えることで、いい買い方。
2→「安く売っている店をさがす」ことは書かれていない。
4→「大きさ」を「よく調べる」のは②を考えることで、いい買い方。

〈ことばと表現〉

- □ 本当に：really／真正地／정말
- □ とくに：especially／特別地／특히
- □ 場所：location／场所／위치
- □ 捨てる：to discard／扔弃／버리다
- □ 値段：price／价格／가격
- □ 予定（する）：schedule／计划／예정
- □ さがす：to find／寻找／찾다
- □ 必要（な）：necessary／必要的／필요한
- □ 選ぶ：to choose／选择／선택하다
- □ 見つける：to find／找到／찾아내다
- □ 調べる：to examine／调查／조사하다

（2）「病院へ行くこと」

27 正答3

〈ここがポイント〉

友だちの話を聞いて「心配に」なった→毎日「私も（友だちと）同じ病気かもしれない」と考えていたら→「おなかが痛く」なった。
これは選択肢3番と同じ。

〈他のせんたくし〉

1→入院したのは友だち。
2→この人は「ほとんど病院へ行ったことがない」が、「一回も（行ったことがない）」とは言っていない。
4→「1年前からずっとおなかが痛かった」のは友だち。この人は「何も病気はない」。

〈ことばと表現〉

- □ ほとんど～ない：very few, almost nothing, almost never／几乎没有／대부분 ～ 없다
- □ 入院（する）：hospitalization／住院／입원 ⇔ 退院（する）
- □ ずっと：all the time／一直／쭉，훨씬
- □ 急に：suddenly／突然地／갑자기
- □ 心配になる：to get worried／担心／걱정되다
- □ 何も～ない：not ~ anything,／什么都没有／아무것도 ～ 없다
  例 何も買わない、何も話はない
- □ 一回も～ない：not even once, never／一次也没有／한 번도 ～ 없다
- □ （～が）治る：to heal／治疗／(~가) 낫다

（3）「飲み会のお知らせ」

28 正答4

ここがポイント

「（山川さんが）食べられないものがあったら教えてほしい（そうです）」と書いてあるので、山川さんに「魚は食べない」と教える。

他のせんたくし

1、2→メールをするのは「都合が悪い」ときだけ。アンさんは金曜日の夕方は都合がいい。
3→「山川さんが食べ物を買っておいてくれる」と書いてある。

ことばと表現

- 連絡（する）：contact／联系／연락
- 〜つもり：to intend to 〜／准备／〜 할 예정
- もし：if／如果／혹시
- 都合が悪い：inconvenient／时机不好／사정이 나쁘다 ⇔都合がいい
- 〜ておく：準備のために、その前に〜する
  例 明日テストなので、よく勉強しておきます。

（4）「部屋を利用するときの注意」

29 正答3

ここがポイント

「歌を歌ったり…場合は、音楽室をご利用ください」＝この部屋では歌ってはいけない。

他のせんたくし

1→10月は、「受付に言って」使うことができる。
2→帰るときにドアは「開けておく」
4→「6月から9月」「11月から3月」以外だけ、「受付に言う」

ことばと表現

- 市民センター：citizen center／市民中心／시민센터
- 利用（する）：使う
- 注意（する）：notice, note／注意／주의
- エアコン：air conditioning／空调／에어컨
- 冷房：air conditioning／冷气／냉방
- 暖房：heater／暖气／난방
- 〜以外：〜のほか except 〜／〜以外／〜이외
- 受付：reception／受理／접수
- 片づける：to clean up, to put away, to get 〜 done／收拾／정리하다

もんだい5（中文）

「歩くこと、走ること」

30 正答2

ここがポイント

「運動があまり好きじゃない人にも簡単」で、「スポーツクラブに通わなくてもいい」（2〜3＊行目）から、いい考えだと言っている。最初の文の「エレベーターやバスに乗らないで歩くようにしている」という考えを指す。

31 正答4

ここがポイント

エリカさんのことは第2、3＊段落に書いてある。
→「来月、エリカさんは初めてマラソン大会に出るそうです。」（10行目）

他のせんたくし

1→この文章を書いた人とは走っていない。
2→4行目「はじめは運動が好きじゃなかった。」
3→これから「10キロを1時間で走れるようになりたい」（11行目）→まだ走れるようになっていない。

32 正答 4
ここがポイント

最後の文「私もこれから歩くことから始めてみようと考えています。」に注意。これから始めるのだから、まだ歩くことも走ることもしていない。

他のせんたくし

1 → 第1段落に「私のように運動があまり好きじゃない人」(3行目)と書いてある。

33 正答 2
ここがポイント

この人がわかったこと：
「子どものときから運動の好きな人が、大人になっても走る」→「そんなことはない」(13～14行目)。

他のせんたくし

1 → 〈体がじょうぶになること〉は書かれていない。
3 → エリカさんは「がんばって運動をつづけ」たのではない。運動を楽しんでいる。
4 → 〈走ること〉と〈友だちが見つけられること〉の*関係は書かれていない。

ことばと表現

- □ 増える：多くなる。(⇔減る＝少なくなる)
- □ (～に)通う：to commute to ～／上班、上学／다니다
- □ 最近：recently／最近／최근
- □ 乗り物：vehicle／交通工具／탈것
- □ 楽しむ：to enjoy／欣赏／즐기다
- □ 習慣：habit／习惯／습관
- □ 見つける：to find／找到／찾아내다
- *□ ～行目：the ～th line／第～行／～째 줄
- *□ 段落：paragraph／段落／단락
- *□ 関係：relationship／关系／관계

もんだい6（情報検索）

「図書館」

34 正答 3
ここがポイント

「○借りるとき」を見る。「60歳以上の人はCDを5枚まで」なので、CD5枚と本4冊を借りることができる。

他のせんたくし

1 →「A市以外の人はCDは借りられません」
2 →「本と雑誌は一人合わせて10冊まで」
4 →「DVDは借りられません」

35 正答 1
ここがポイント

「○返さなければならない日までに本を読みおわらなかったとき」を見る。
「返さなければならない日までに…電話でお知らせください。」と書いてあるので、今日電話をすれば、「あと2週間借りることができる。」

ことばと表現

- □ 市立：municipal／市立／시립
- □ 通う：to commute to ～／上班、上学／다니다
- □ もう少し：a little more／还有一点／조금 더
- □ 受付：reception／受理／접수
- □ 予約(する)：reservation／预约／예약
- □ 利用(する)：使う
- □ はじめて：first／第一次／처음
- □ 合わせて：in total／共计／합해서
- □ ～以上：～より上　～ more／以上～／～ 이상　⇔以下
- □ ～以外：～のほか　except ～／～以外／～ 이외
- □ 必ず：絶対に　surely／一定／반드시
- □ 知らせる：to inform／通知／알리다
- □ 予定(する)：前に決めたこと　schedule／预计／예정

「N4レベルの漢字をチェック！ ③

※難しい読みとN5レベルの漢字は入れていません。

- ☐ 集　シュウ／あつ−まる　あつ−める
  - 例 集合、駅に集まる、ゴミを集める
- ☐ 住　ジュウ／す−む
  - 例 住所、親といっしょに住む
- ☐ 重　おも−い　　例 重い荷物
- ☐ 春　はる
  - 例 もうすぐ春がやって来る。
- ☐ 所　ショ／ところ
  - 例 場所、事務所、行きたい所
- ☐ 暑　あつ−い　　例 暑い日
- ☐ 乗　ジョウ／の−る　の−せる
  - 例 乗車、バスに乗る、テーブルの上に乗せる
- ☐ 場　ジョウ／ば
  - 例 会場、場所、タクシー乗り場、場合
- ☐ 色　ショク／いろ
  - 例 3色のボールペン、黄色
- ☐ 心　こころ
  - 例 心からお礼を言う、心と体
- ☐ 真　シン／ま
  - 例 写真、真っすぐ、真ん中
- ☐ 進　すす−む　すす−める
  - 例 前に進む、作業を進める
- ☐ 森　もり　　例 森の中に池がある。
- ☐ 親　シン／おや
  - 例 両親、親子、父親、母親
- ☐ 図　ズ／ト　　例 地図、図書館
- ☐ 世　セ　　例 世界
- ☐ 正　ショウ／ただ−しい
  - 例 正月、正しい答え、
- ☐ 声　こえ　　例 きれいな声
- ☐ 青　あお　あお−い
  - 例 青のペン、青い空
- ☐ 夕　ゆう　　例 夕方
- ☐ 赤　あか　あか−い
  - 例 赤信号、赤い靴
- ☐ 切　セツ／き−る　き−れる
  - 例 大切な思い出、髪を切る、切手、電話が切れる

- ☐ 説　セツ　　例 説明
- ☐ 洗　あら−う　　例 手を洗う
- ☐ 走　はし−る　　例 駅まで走る
- ☐ 送　ソウ／おく−る
  - 例 郵送、荷物を送る、メールを送る
- ☐ 族　ゾク　　例 家族
- ☐ 村　ソン／むら
  - 例 市町村、小さな村
- ☐ 太　ふと−い　　例 太いうで
- ☐ 体　タイ／からだ
  - 例 体調、大きな体
- ☐ 待　ま−つ　　例 電車を待つ
- ☐ 貸　か−す　　例 本を貸す
- ☐ 代　ダイ／か−わる
  - 例 バス代、電話代、時代、〜さんと代わる、社長の代わりに
- ☐ 台　ダイ　　例 台所
- ☐ 題　ダイ　　例 問題、宿題
- ☐ 短　タン／みじか−い
  - 例 短時間、短いえんぴつ
- ☐ 地　チ　　例 地図、地下
- ☐ 池　いけ　　例 古い池
- ☐ 知　し−る
  - 例 知らせる、知らない人
- ☐ 茶　チャ
  - 例 紅茶、お茶
- ☐ 着　チャク／き−る　き−せる　つ−く
  - 例 10時30分着の電車、着物を着る、服を着せる、東京に着く
- ☐ 注　チュウ
  - 例 注意、注文
- ☐ 昼　チュウ／ひる
  - 例 昼食、昼休み
- ☐ 町　チョウ／まち
  - 例 市町村、町をきれいにする
- ☐ 鳥　とり　　例 小鳥
- ☐ 朝　チョウ／あさ
  - 例 朝食、朝ごはん

聴 解

問題1

例　正答2　03 CD3

男の人と女の人が話しています。男の人は、このあとまずどこに行きますか。

M：ちょっと本屋に行ってくるね。
F：あっ、じゃあ、朝食用のパンを買ってきてくれない？
M：よく行く駅前のパン屋？
F：あそこまで行かなくていいよ、遠いから。ABCスーパーでいいよ。普通のトースト用のパンでいいから。
M：わかった。
F：ああ、だから、コンビニでもいいよ。
M：うん。じゃあ、帰りに寄るよ。

男の人は、このあとまずどこに行きますか。

パンは「帰りに寄るよ」→帰りに買う。

ことばと表現
- 〜用：〜のため。
- 駅前：駅のそば。
- トースト：toast／烤面包／토스트

1番　正答3　04 CD3

男の学生と女の学生が話しています。女の学生は、まずどこに行きますか。

M：もしもし、田中さん？　今、どこにいるの。
F：今、駅に着いたとこ。
M：じゃあ、駅前のコンビニの前の道を来てくれる？　少し行くと郵便局があるから、そこにいて。迎えに行くから。
F：え、そうなの？　このまま会場のレストランに行くつもりだったけど。
M：うん‥場所がちょっとわかりづらいんだよ。
F：わかった。じゃあ、お願い。

女の学生は、まずどこに行きますか。

「郵便局があるから、そこにいて」とあるので、答えは3。

ことばと表現
- 着いたとこ：着いたところ。
- 迎えに行く：to go to meet(to escort)／去迎接／마중 나가다

2番　正答2　05 CD3

家で、娘と父親が話しています。娘が探しているのは、どの服ですか。

F：ねえ、お父さん、私の上着知らない？
M：上着？　どんなやつ？
F：いつも着てるじゃない。白で、ボタンがたくさん付いてるやつ。
M：うすい黄色のじゃなくて？
F：それはパジャマ。全然わかってないなあ。あ、あった。これだよ、ほら。
M：ああ、それか。ごめん、ごめん。

娘が探しているのは、どの服ですか。

「上着」「白で、ボタンが」と言っているので、答えは2。

ことばと表現
- 付いてる：付いている
- パジャマ：pajamas／睡衣／파자마

3番　正答3

男の学生と女の学生が話しています。男の学生は、明日何を持って行きますか。

M：ねえ、明日の工場見学って、何か必要なものある？
F：佐藤くん、先生の話聞いてなかったの。
M：ごめん、すごく眠かったから…。
F：お弁当と飲み物は、用意しておいてくれるんだって。
M：へえ、そうなんだ。お金はいるの？
F：ううん、いらない。いるのはノートとペン。あとでレポートを書くから。
M：わかった。カメラはいいんだっけ？
F：それは、ひとつのグループにひとつ。私が持っていくよ。
M：わかった。

男の学生は、明日何を持って行きますか。

ことばと表現

- ～がいる：～が必要。「要る」と書く。
- いい：この「いい」は「十分だ、足りている、必要ない」。

4番　正答3

美術館で、案内を聞いています。女の人は、どの絵を紹介していますか。

F：これは彼が子どものころ、ふるさとの景色をかいた絵です。夏にはよく、この川で泳いだり、釣りをしたりして遊んだそうです。この絵がかかれたのは、たぶん春で、遠くの山々にはまだ雪が残っています。

女の人は、どの絵を紹介していますか。

「この川で」「遠くの山々」とあるので、答えは3。

ことばと表現

- ふるさと：生まれ育ったところ。
- 山々：多くの山。
  例 木々の緑、日々の努力、人々の生活

5番　正答2

男の留学生と女の学生が話しています。男の留学生は、ホストファミリーに何をあげますか。

M：原さん、ちょっといいですか。
F：うん。何？
M：来月帰国なので、ホストファミリーに何かお礼をしたいと思うんです。何がいいでしょうか。
F：そうねえ…。物じゃなくて、手紙でもいいんじゃない？　日本語で一生懸命書いて。
M：じゃあ、みんなにそれぞれ手紙を書きます。それと、プレゼントも何かあげたいんですが。
F：そうねえ、お花とかでもいいんだけど…。あ、そうだ。リーさんと一緒に撮った写真を入れて、写真立てをあげるのはどう？
M：あ、それいいですね。そうします。

男の留学生は、ホストファミリーに何をあげますか。

ことばと表現

- ホストファミリー：留学生を受け入れて、世話をする家族。英 host family

6番　正答2

男の学生と女の学生が話しています。男の学生は何を準備しますか。

M：明日のお花見、何か用意するものある？
F：ありがとう。じゃあ、お願いしていいかなあ。ちょっと重いけど、お茶とジュース、いい？
M：わかった。ほかには？
F：あとは、紙のお皿とコップ…。あ、いいや、

これは。私が買っておくから。お弁当は、原くんが買ってきてくれるって。
M：わかった。じゃ、ぼくはあと、お菓子を買ってこようか。
F：そうね。じゃ、適当に。

男の学生は何を準備しますか。

ことばと表現

☐ 適当に：「適当に買ってきて」などが短くなった形。この場合、「細かく・難しく考えないで」「だいたい良ければ、それでいいので」などの意味。

7番　正答4

駅で、女の人と駅員が話しています。女の人は、このあと何をしますか。

F：すみません、電車の中か駅で財布を落としてしまったみたいなんですが。
M：電車は、いつの電車ですか。
F：えーと、30分くらい前にここに着いた電車です。黒い財布です。
M：…こちらには届いてないですねえ。終点のみどりやま駅に聞いてみますね。…あ、ありましたよ。
F：ほんとですか！　よかったです。
M：取りに行きます？
F：あのう、夜でもいいですか。これから仕事がありますので。
M：いいですよ。じゃあ、伝えておきますね。

女の人は、このあと何をしますか。

ことばと表現

☐ 終点：last stop, terminal ／终点／종점

8番　正答4

大学で、女の学生と男の学生が話しています。

明日どこで集まりますか。

F：田中くん、グループ研究について話したいんだけど、明日の6時ごろでもいい？
M：ああ、いいよ。どこで？
F：それはこれから決めるところ。
M：ぼくの家でもいいよ。みんながよければ。
F：うーん、ありがたいけど、場所を移るのがちょっと大変。107教室とかは？
M：その時間は、もう閉まってると思うよ。最近、厳しいから。
F：じゃあ、図書館か食堂だね。
M：そのどちらかだね。でも、図書館は静かにしないといけないからなあ。
F：うん、図書館はやめよう。

明日どこで集まりますか。

「じゃあ、図書館か食堂だね」「図書館はやめよう」とあるので、食堂。

ことばと表現

☐ ありがたい：thankful, grateful ／难得的／고마운

☐ 厳しい：severe ／严厉的／엄격한

問題2

例　正答3

男の学生と女の学生が話しています。女の学生は、どうしてアルバイトをやめましたか。

M：アルバイトやめたんだって？
F：うん。
M：お金は結構良かったんでしょ？
F：うん、良かったよ。おかげで留学するためのお金もできたし。
M：じゃあ、なんで？
F：最近、勉強のほうが大変になってきちゃっ

模擬試験 第3回 解答・解説

て。
M：そうなんだ。

女の学生は、どうしてアルバイトをやめましたか。

ことばと表現

□ 〜(んだ)って？：「〜って」は伝え聞いたことを表す。「〜って？」は「〜と聞いたけど、それは本当？」という意味。「〜んだ」は驚いたり感心したりする気持ちを表す。

□ なんで？：どうして？

1番　正答2

駅で、女の人と係の人が話しています。女の人は、何時何分の新幹線に乗ると言っていますか。

F：すみません、東京から京都まで大人二人、なるべく早いのでお願いします。
M：お二人ですね。…ああ、9時30分発はもう満席ですね。次の50分発の京都行きなら空いてますが。ただ、席は離れますけど。
F：あ、そうなんですか…。できれば一緒がいいんですが。
M：今、混んでますからねえ。次の10時10分発も同じです。10時30分発の広島行きなら、ご一緒でお取りできますが。
F：10時30分!?　それじゃ遅すぎるから、最初の、京都行きでお願いします。
M：わかりました。

女の人は、何時何分の新幹線に乗ると言っていますか。

「最初の、京都行き」は、「9時30分発の次」の「50分発の京都行き」。

ことばと表現

□ なるべく：as 〜 as possible ／尽量／될 수 있는 대로

□ 〜発：departure, leaving ／发车／발 ⇔ 〜着

□ 満席：席がいっぱいで、空いている席がないこと。

□ できれば：if possible ／如果可以／가능하면

2番　正答3

女の人と男の人が話しています。女の人は、どうして引っ越しますか。

F：ねえ、山田くん。来月引っ越すんだけど、手伝ってくれない？
M：いいよ。でも、どうして引っ越すの？　何か問題があるの？
F：そんなことないよ。ちょっと古いけど、きれいだし。
M：じゃあ、留学するとか？
F：ううん。もう少し広いところがいいなあと思って。駅からは遠くなるけどね。
M：そうか…。まあ、荷物は増えていくからね。

女の人は、どうして引っ越しますか。

「もう少し広いところがいい」→「今の部屋は少し狭い」。

3番　正答3

女の学生と先輩の男の学生が話しています。二人は、いつ会いますか。

F：原さん、ちょっと授業のレポートのことで相談があるんですが。
M：うん、いいよ。今？
F：いえ、今日はまだちょっと…。
M：明日は、ぼくがちょっと忙しいんだ。あさってでも、いいかな。そのレポートはいつまで？
F：えっと…来週の月曜日です。だから、その日で大丈夫です。
M：よかった。じゃあ、そうしよう。

二人は、いつ会いますか。

「あさってでもいいかな」「その日で大丈夫」とあるので、答えは3。

4番　正答4　17 CD3

イベントで、係りの人が話しています。今日の天気はどうだと言っていますか。

F：みなさん、こんにちは。今年の港祭りも今日が3日目、いよいよ最終日です。今日は朝から曇っていますが、雨は降らないそうです。まあ、昨日、一昨日と、よく晴れて、すごく暑かったですからね。ちょっとほっとしますよね。でも、明日の朝になると、また晴れて、昨日と同じような一日になるようです。まだまだ暑い日が続きますが、暑さに負けないよう、頑張りましょう。

今日の天気はどうだと言っていますか。

「今日は朝から曇っています」と「明日の朝になると、また晴れて」から、答えは4。

ことばと表現

☐ **いよいよ**：finally ／到底、终于／드디어

☐ **最終日**：最後の日。

☐ **ほっとする**：to feel relieved, to feel comfortable ／放心／한숨 놓다

☐ **まだまだ**：しばらく変わる様子がなく、続く様子。

5番　正答1　18 CD3

店で、店の人と男の人が話しています。店の人は、最近のプリンターがどうなったと言っていますか。

F：いらっしゃいませ。プリンターをお探しですか。

M：はい。今使ってるのが壊れたので、新しいのを買おうかと思って。

F：では、こちらはいかがでしょうか。主に家庭用ですが、印刷のスピードが速いんです。デザインもおしゃれなので、人気ですよ。

M：へー。そんなに大きくないんですね。

F：ええ。以前は、プリンターといえば大きいものでしたが、ここ何年かでかなり小さくなりましたよ。

M：いいですね、値段も高くないし。

店の人は、最近のプリンターがどうなったと言っていますか。

ことばと表現

☐ **印刷**：print ／印刷／인쇄

6番　正答1　19 CD3

先生と女の学生が話しています。女の学生は誰と行きますか。

M：今日もアルバイトですか。

F：いえ、今日はこれからお祭りに行きます。

M：お祭り？

F：はい、うちの近くで毎年この時期にあるんです。

M：へえ、いいですね。

F：はい。今年は久しぶりに親と行くことになって…。いつもは友だちと行くんですが、留学して、今日本にいないので。

M：そうですか。でも、ご両親はきっと楽しみにしていますよ。

F：はい。

女の学生は誰と行きますか。

ことばと表現

☐ **時期**：period, season, time ／时期／시기

7番　正答2

女の人と男の人が話しています。男の人は、何を教えていますか。

F：青木先生は海外のことに詳しいんですね。
M：会社に勤めていた頃は、ほとんど海外生活だったんです。いろんな国を回りましたよ。
F：そうだったんですか。私はずっと中国語の先生をされていると思っていました。じゃあ、中国語以外もおできになるんですね。
M：いえいえ。まあ、英語は必要ですからね。あとは、スペイン語とイタリア語なら、簡単な会話はできます。
M：すごいですね。私なんか、英語も全然だめなのに。

男の人は、何を教えていますか。

ことばと表現

- 回る：to go around ~ ／旋转／돌아다니다
- おできになる：「できる」の尊敬語。

問題3

例　正答3

久しぶりに先生に会いました。何と言いますか。

F：1 ようこそ。
　　2 失礼いたしました。
　　3 お久しぶりです。

ことばと表現

- ようこそ：歓迎の気持ちを表す言葉。
- 失礼いたしました：失敗したときに謝る言葉。

1番　正答3

娘の部屋が汚いです。何と言いますか。

F：1 片付けていいから。
　　2 片付けてもらって。
　　3 片付けなさい。

親が子どもに言う言葉なので、命令形の「～なさい」を使っている。

1 → 娘が片付けたいと思っている場合。
2 → 娘が誰かに片付けを頼む場合。

2番　正答1

上司に話をしたいです。何と言いますか。

F：1 今、お時間ありますか。
　　2 すみません、お聞きください。
　　3 ちょっと相談しましょう。

相手に話を聞いてもらいたいときに、まず使う言葉。

ことばと表現

- 上司：boss ／上司／상사

3番　正答2

先生が忙しそうです。手伝いたいです。何と言いますか。

F：1 お手伝いしてくれませんか。
　　2 お手伝いしましょうか。
　　3 お手伝いしてあげましょうか。

1 → 相手に手伝いを頼む表現。
3 → 「～してあげましょうか」は、先生や年上の人などには使わないほうがいい。

先生などに	お手伝いしましょうか
同僚に	手伝いましょうか
友達に	手伝おうか／手伝ってあげようか

4番　正答3

同僚に、コピーを頼みたいです。何と言います

か。
M：1　ちょっと、これをコピーしてあげる？
　　2　あっ、これをコピーしてもらおうか。
　　3　ごめん、これをコピーしてくれない？

2 →「～てもらおう（か）」と相手に言うのは、部下などに指示するとき、など。

5番　正答1　[28 CD3]

レストランのアルバイトで、注文を間違えてしまいました。お客さんに何と言いますか。

M：1　申し訳ありません。
　　2　ごめんください。
　　3　おじゃましました。

ことばと表現

☐ **ごめんください**：人の家に行ったときに、玄関でその家の人を呼ぶ言葉。

問題4

例　正答2　[30 CD3]

F：Mサイズしかありませんが、よろしいですか。
M：1　どうぞ。
　　2　結構です。
　　3　かしこまりました。

ことばと表現

☐ **結構です**：ここでは「それでいいです」。

1番　正答2　[31 CD3]

M：日本へ来たのはいつですか。
F：1　去年の12月からです。
　　2　ええと、今年の1月です。
　　3　じゃ、一か月半ですね。

1 →質問が「日本にはいつからいらっしゃるんですか」ならOK。

2番　正答1　[32 CD3]

F：どうしてもっと早く連絡しなかったの？
M：1　すみませんでした。
　　2　おかまいなく。
　　3　失礼します。

ことばと表現

☐ **どうして～なかったの？**：「相手が～しなかったこと」を怒っているときなどに使う。
☐ **おかまいなく**：相手の親切に対して、遠慮をする言葉。「[かまう（＝気にして、世話をしたりする）]必要はないですよ」という意味。
☐ **失礼します**：部屋に入るときや部屋から出るときなどに使う。
※「失礼しました」は謝るときの表現。

3番　正答3　[33 CD3]

F：来週までにこの本を読んでおくように。
M：1　ええ、結構です。
　　2　ええ、かまいませんよ。
　　3　はい、わかりました。

「～ておいてください」「～ておくように」は、先生などが相手に指示するときの表現。

4番　正答3　[34 CD3]

M：卒業して国に帰ったら、何をするんですか。
F：1　日本語教師をしたことがあります。
　　2　日本語を教えるところです。
　　3　日本語の先生になるつもりです。

これからの予定なので、「～つもり」を使う。

ことばと表現

☐ **～するところ**：「ちょうどこれから～する」というときの表現。

模擬試験 第3回 解答・解説

5番　正答1

M：ちょっと手伝ってほしいんですが。
F：1　はい、何ですか。
　　2　いいえ、大丈夫ですよ。
　　3　はい、お願いしたいです。

6番　正答1

M：この部屋、ちょっと暑いですね。
F：1　あ、窓を開けましょうか。
　　2　ええ、暑そうですね。
　　3　そうですね、そんなに暑くないですね。

2→自分も同じ部屋にいるので、「暑そうですね」は×。

7番　正答1

F：飲み物は、あとでお願いします。
M：1　かしこまりました。
　　2　どうもありがとうございます。
　　3　けっこうです。

ことばと表現

☐ かしこまりました：わかりました。注文を受けたときなどに使う。

8番　正答2

M：待ち合わせ、どこにしようか。
F：1　うん、30分前に会おうか。
　　2　どこでもいいよ。
　　3　受付の前だね。わかった。

「N4レベルの漢字をチェック！ ④

※難しい読みとN5レベルの漢字は入れていません。

- ☐ **通** ツウ／とお–る　とお–す　かよ–う
  - 例 交通、毎日通る道、通り、大学に通う／前を通してください。
- ☐ **低** ひく–い　例 背が低い
- ☐ **弟** ダイ／おとうと
  - 例 兄弟
- ☐ **転** テン　例 運転
- ☐ **田** た　例 田んぼ
- ☐ **都** ト ツ
  - 例 東京都、都合
- ☐ **度** ド　例 今度
- ☐ **冬** ふゆ　例 冬の寒さ
- ☐ **答** トウ／こた–える　こた–え
  - 例 解答、質問に答える、問題の答え
- ☐ **頭** あたま　例 頭がいたい
- ☐ **同** おな–じ　例 同じクラス
- ☐ **動** ドウ／うご–く
  - 例 運動／時計がまた動きだした。
- ☐ **堂** ドウ　例 食堂
- ☐ **働** はたら–く　例 9時から働く
- ☐ **特** トク　例 特別
- ☐ **肉** ニク
  - 例 豚肉、牛肉
- ☐ **売** う–る　例 高く売る
- ☐ **発** ハツ　例 発音
- ☐ **飯** ハン　例 朝ご飯
- ☐ **病** ビョウ　例 病気
- ☐ **品** ヒン／しな
  - 例 品物
- ☐ **不** フ　例 不便
- ☐ **風** フウ／かぜ
  - 例 台風、気持ちのいい風
- ☐ **服** フク　例 服を着る
- ☐ **物** ブツ／もの
  - 例 動物、品物
- ☐ **文** ブン　例 文学
- ☐ **別** ベツ／わか–れる
  - 例 特別、友達と別れる

- ☐ **便** ベン ビン／たよ–り
  - 例 便利、郵便、お便り
- ☐ **勉** ベン　例 勉強
- ☐ **歩** ホ／ある–く
  - 例 歩道、歩く
- ☐ **方** ホウ／かた
  - 例 地方、こっちの方、あの方
- ☐ **妹** マイ／いもうと
  - 例 妹
- ☐ **味** ミ／あじ
  - 例 趣味、おいしい味／味がしない
- ☐ **民** ミン　例 市民
- ☐ **明** メイ／あか–るい
  - 例 説明、明るい部屋
- ☐ **門** モン
  - 例 学校の門、専門
- ☐ **問** モン
  - 例 問題、質問
- ☐ **夜** ヤ／よる
  - 例 今夜、夜8時
- ☐ **野** ヤ／の
  - 例 野球、野原
- ☐ **薬** くすり　例 薬を飲む
- ☐ **有** ユウ／あ–る
  - 例 有名、シャワーの有る部屋
  - ※ふつうは「有る」はひらがなで書く。
- ☐ **用** ヨウ
  - 例 用事、用意
- ☐ **洋** ヨウ　例 西洋
- ☐ **曜** ヨウ　例 曜日
- ☐ **理** リ　例 理由
- ☐ **旅** リョ　例 旅行
- ☐ **料** リョウ　例 料理
- ☐ **力** リョク／ちから
  - 例 日本語能力試験／力が強い。
- ☐ **林** はやし
  - 例 林の中を通る

模擬試験の採点表

配点は、この模擬試験で設定したものです。実際の試験では公表されていませんが、各科目の合計得点の目安が示されているので、それに基づきました。「基準点＊の目安」と「合格点の目安」も、それぞれ実際のものを参考に設定しました（下記）。

基準点…言語知識（文字・語彙・文法）＋読解＝38点、聴解＝19点
合格点…90点（得点の範囲：0～180点）

＊基準点：得点がこれに達しない場合、総合得点に関係なく、それだけで不合格になる。

★合格可能性を高めるために、80点以上の得点を目指しましょう。
★基準点に達しない科目があれば、重点的に復習しましょう。

●言語知識（文字・語彙・文法）／読解

大問	配点	満点	第1回 正解数	得点	第2回 正解数	得点	第3回 正解数	得点
言語知識（文字・語彙）								
問題1	1点×9問	9						
問題2	1点×6問	6						
問題3	1点×9問	9						
問題4	1点×5問	5						
問題5	1点×5問	5						
言語知識（文法）								
問題1	1点×15問	15						
問題2	1点×5問	5						
問題3	1点×5問	5						

読解

大問	配点	満点	第1回 正解数	第1回 得点	第2回 正解数	第2回 得点	第3回 正解数	第3回 得点
問題4	4点×4問	16						
問題5	4点×4問	16						
問題6	4点×2問	8						
合計		99						
(基準点の目安)			(32)		(32)		(32)	

●聴解

大問	配点	満点	第1回 正解数	第1回 得点	第2回 正解数	第2回 得点	第3回 正解数	第3回 得点
問題1	3点×8問	24						
問題2	3点×7問	21						
問題3	2点×5問	10						
問題4	1点×8問	8						
合計		63						
(基準点の目安)			(20)		(20)		(20)	

	第1回	第2回	第3回
総合得点	/162	/162	/162
(合格点の目安)	(81)	(81)	(81)

試験に出る重要語句・文型リスト

- **文字** ◆ 訓読みに注意したい漢字／音読みに注意したい漢字
- **語彙** ◆ 意味の似ている言葉
- **文法** ◆ よく出る基本文型64
- **読解** ◆ 読解問題に出るキーワード
- **聴解** ◆ 聴解問題に出るキーワード

文字

訓読みに注意したい漢字

漢字	読み	例
□ 空	す−く	おなかが**空**く
	あ−く	席が**空**く
	そら	青い**空**
	から	箱が**空**
□ 止	と−める	タクシーを**止**める
	や−める	旅行を**止**める
□ 出	で−る	試合に**出**る
	だ−す	ゴミを**出**す
□ 入	はい−る	部屋に**入**る
	い−れる	カバンに**入**れる
□ 始	はじ−まる	9時に授業が**始**まる
	はじ−める	先生が授業を**始**める
□ 集	あつ−める	切手を**集**める
	あつ−まる	入り口に人が**集**まる
□ 足	あし	**足**が痛い
	た−りる	お金が**足**りない
□ 開	ひら−く	店が**開**く
	あ−ける	ドアを**開**ける
□ 起	お−きる	9時に**起**きる
	お−こす	娘を**起**こす
□ 上	うわ	**上**着を着る
	うえ	机の**上**に置く、**上**の棚
□ 間	あいだ	休みの**間**
	ま	**間**に合う、昼**間**

音読みに注意したい漢字

漢字	読み	例
□ 話	はなし	先生の**話**
	はな−す	友達と**話**す
□ 分	わ−ける	二人で**分**ける
	わ−かる	日本語が**分**かる
□ 日	ニチ	毎**日**
	ジツ	休**日**
□ 人	ジン	**日**本**人**
	ニン	**人**形
□ 地	ジ	**地**震
	チ	**地**図
□ 便	ビン	ゆう**便**
	ベン	**便**利
□ 分	フン	5**分**かかる
	プン	3**分**でできる
	ブン	十**分**足りる

語彙 意味の似ている言葉

動詞

- □ 取り替える 例 カーテンを取り替える
  to change curtains ／换窗帘／커튼을 바꾸다
- □ 替える 例 電池を替える
  to replace batteries ／换电池／건전지를 갈다

- □ 準備(する) 例 旅行の準備をする
  to prepare for a trip ／准备旅行／여행 준비를 하다
- □ 用意(する) 例 プレゼントを用意する
  to prepare a present ／准备礼物／선물을 준비하다

- □ 働く 例 週に５日働く
  to work five days a week ／一周工作五天／주에 5일 일하다
- □ 仕事(する) 例 貿易に関する仕事
  trade-related work ／有关贸易方面的工作／무역에 관한 일
- □ 勤める 例 Ａ社に勤める
  to work for company A ／在Ａ公司工作／Ａ사에 근무하다

- □ 連絡(する) 例 家に連絡する
  to contact the family ／跟家里联系／집에 연락하다
- □ 知らせる 例 みんなに知らせる
  to let everybody know ／通知大家／모두에게 알리다

- □ 中止(する) 例 計画を中止する
  to cancel the plan ／取消计划／계획을 중지하다
- □ やめる 例 行くのをやめる
  to stop going ／不去了／가는 것을 그만두다

- □ 出発(する) 例 ８時に出発する
  to leave at 8 o'clock ／8点出发／8시에 출발하다
- □ 出る 例 部屋を出る
  to leave a room ／离开学校／방에서 나오다

- □ 案内(する) 例 学校を案内する
  to show around the school ／带着参观学校／학교를 안내하다
- □ 紹介(する) 例 友達を紹介する
  to introduce a friend ／介绍朋友／친구를 소개하다

- □ 要る 例 パスポートが要る
  to need a passport ／要护照／여권이 필요하다
- □ 必要(な) 例 必要な情報
  necessary information ／必要的情报／필요한 정보

- □ 驚く 例 日本に来て驚いたこと
  the things I was surprised at when I came to Japan ／来日本感到吃惊的事／일본에 와서 놀란 것
- □ びっくり(する)
  例 びっくりするような値段
  amazing price ／惊人的价格／깜짝 놀랄 만한 가격

- □ 呼ぶ 例 店員を呼ぶ
  to call a clerk ／叫店员／점원을 부르다
- □ 招待(する) 例 家に招待する
  to invite into one's home ／招待来家作客／집에 초대하다

- □ お願い(する)
  例 先生にお願いする
  to ask a teacher a favor ／请教老师／선생님께 부탁드리다
- □ 頼む 例 友達に頼む
  to ask a friend a favor ／求朋友／친구에게 부탁하다

- □ 計画(する) 例 旅行を計画する
  to plan a travel ／计划旅行／여행을 계획하다
- □ 予定(する) 例 夏休みの予定
  a plan for summer vacation ／暑假计划／여름방학 예정

試験に出る 重要語句・文型リスト

- □ 故障(する)　例 パソコンが故障する
  The computer breaks down. ／电脑出故障／컴퓨터가 고장나다
- □ 壊れる　例 時計が壊れる
  The watch breaks down. ／表坏了／시계가 고장나다

- □ 答える　例 質問に答える
  to answer a question ／回答问题／질문에 답하다
- □ 返事(する)　例 呼ばれて返事する
  to be called and answer ／点名喊到／불러서 대답하다

- □ 出る　例 授業に出る
  to go to a class ／上课／수업에 나가다
- □ 出席(する)　例 パーティーに出席する
  to attend a party ／参加宴会／파티에 참석하다

形容詞

- □ 危ない　例 危ない場所
  dangerous place ／危险的地方／위험한 장소
- □ 危険(な)　例 危険な仕事
  dangerous job, risky job ／危险的工作／위험한 일

- □ うまい　例 うまいやり方
  smart way ／好办法／좋은 방법
- □ 上手(な)　例 彼はピアノが上手だ。
  He is good at playing the piano ／他钢琴弹得很好／그는 피아노를 잘 친다．

- □ 大事(な)　例 大事な会議
  important meeting ／重要会议／중요한 회의
- □ 大切(な)　例 大切な思い出
  cherished memory ／珍贵的回忆／소중한 추억

- □ 立派(な)　例 立派な建物
  great building ／漂亮的建筑／훌륭한 건물

- □ すごい　例 すごい雨
  heavy rain ／倾盆大雨／굉장한 비
- □ すばらしい　例 すばらしい絵
  wonderful picture ／精彩的画／멋진 그림

- □ 無理(な)　例 無理なお願い
  impossible request ／过分的请求／무리한 부탁
- □ 大変(な)　例 大変な努力
  enormous effort ／刻苦努力／엄청난 노력

- □ 厳しい　例 厳しい先生
  strict teacher ／严厉的老师／엄격한 선생님
- □ 怖い　例 怖い映画
  scary movie ／恐怖电影／무서운 영화

- □ にぎやか(な)
  例 にぎやかな通り
  busy street ／热闹的街道／활기찬 거리
- □ うるさい　例 工事の音がうるさい。
  The construction noise is annoying. ／施工的声音很吵／공사 소리가 시끄럽다．

文字・語彙

- □ 安全(な)　例 交通安全
  あんぜん　　こうつうあんぜん
  traffic safety／交通安全／교통안전
- □ 安心(な)　例 医者がいるから安心だ。
  あんしん　　　いしゃ　　　　　あんしん
  We don't have to worry, because we have a doctor.／有医生在所以放心／의사가 있으니 안심이 된다.

- □ 丁寧(な)　例 丁寧な説明
  ていねい　　　ていねい　せつめい
  thorough explanation／詳細的说明／자상한 설명

- □ きれい(な)　例 きれいな字
  　　　　　　　　　　　じ
  neat handwriting／漂亮的字／깨끗한 글씨

- □ 悪い　例 天気の悪い日
  わる　　　てんき　わる　ひ
  bad weather day／天气不好的日子／날씨가 안 좋은 날

- □ だめ(な)　例 だめな親
  　　　　　　　　　　おや
  bad parent／不称职的父母／제구실을 못하는 부모

- □ ひどい　例 ひどい雨
  　　　　　　　　　あめ
  terrible rain／下得很厉害的雨／심한 비

副詞
ふくし

- □ ほとんど　例 ほとんど知っている
  　　　　　　　　　　　　し
  to know almost everything／几乎都知道／거의 알고있다
- □ だいたい　例 だいたい知っている
  　　　　　　　　　　　　　　し
  to know almost everything／基本上知道／대강 알고있다
- □ だいぶ　例 だいぶ熱が下がった。
  　　　　　　　　　ねつ　さ
  The fever went down considerably.／烧退了很多／열이 많이 내렸다.
- □ ずいぶん　例 ずいぶん早く着いた。
  　　　　　　　　　　　　はや　つ
  We arrived quite early.／早到了不少时间／꽤 빨리 도착했다.
- □ 初めて　例 初めて経験しました。
  はじ　　　　はじ　　けいけん
  I experienced it for the first time.／第一次经验(体验)／처음으로 경험했어요.
- □ まず　例 まずあいさつをしましょう。
  First of all, let's introduce ourselves.／先打招呼／우선 인사를 합시다.
- □ 最初　例 最初に英語のテストをします。
  さいしょ　　さいしょ　えいご
  First, I will give you the English exam.／先考英语／처음에 영어 테스트를 합니다.
- □ 先に　例 先に料金を払う
  さき　　　さき　りょうきん　はら
  to pay the fee in advance／先交钱／먼저 요금을 내다
- □ 前に　例 前に来た店
  まえ　　　まえ　き　みせ
  the store that I came before／以前来过的店／전에 왔던 가게
- □ できるだけ　例 できるだけ早く来てください。
  　　　　　　　　　　　　　　はや　き
  Please come as soon as possible.／请尽量早来／될 수 있는 한 빨리 와 주세요.
- □ できれば　例 できれば早めに来てください。
  　　　　　　　　　　　　はや　　き
  If possible, please come early.／可能的话请早点儿来／가능하면 조금 일찍 오세요.

87

文法 よく出る基本文型64

- □ ～がする
  - 例 この部屋はいいにおい**がします**。
    (It smells nice in this room. ／这间屋子有香味。／이 방은 좋은 냄새가 나요.)

- □ ～がる
  - 例 妹は新しいかばんをほし**がっています**。
    (My younger sister wants a new bag. ／妹妹想要一个新的包。／여동생은 새 가방을 갖고 싶어해요.)

- □ ～かどうか
  - 例 彼女が来る**かどうか**、まだわかりません。
    (I don't know if she will come yet. ／还不知道她要不要来。／그녀가 올지 어떨지 아직 몰라요.)

- □ ～かもしれない
  - 例 走れば、急行に間に合う**かもしれない**。
    (If you run, you might be able to catch the express train. ／如果跑着去，也许能赶上快车。／뛰어가면 급행을 탈 수 있을지도 몰라.)

- □ ～ことにする
  - 例 明日から毎日1時間走る**ことにしました**。
    (I decided to run everyday for one hour from tomorrow. ／从明天开始决定每天跑步一个小时。／내일부터 매일 한시간 달리기로 했어요.)

- □ ～ことになる
  - 例 来月、大阪に出張する**ことになりました**。
    (It turned out that I would go to Osaka for a business trip next month. ／决定了下个月出差去大阪。／다음달에 오사카에 출장가게 되었어요.)

- □ ～し、～
  - 例 彼は親切だ**し**、明るい**し**、みんなに人気があります。
    (Everybody like him, because he is nice and cheerful. ／他既亲切又开朗，很受大家欢迎。／그는 친절하고 밝아서 모두에게 인기가 있어요.)

- □ ～ずに
  - 例 息子は朝ご飯を食べ**ずに**学校へ行きました。
    (My son went to school without eating breakfast. ／儿子没吃早餐就去了学校。／아들은 아침밥을 먹지 않고 학교에 갔어요.)

- □ ～そう［形容］
  - 例 このケーキ、おいし**そう**。
    (This cake looks delicious. ／这个蛋糕看起来挺好吃的样子。／이 케이크 맛있겠다.)

- □ ～そうだ［伝聞］
  - 例 今朝、ここで事故があった**そうです**。
    (I heard that there was an accident here this morning. ／今天早上这里好像发生了事故。／오늘 아침에 여기서 사고가 났었데요.)

- □ ～だす
  - 例 赤ちゃんが急に泣き**だした**。
    (The baby started to cry suddenly. ／婴儿突然哭了起来。／아기가 갑자기 울기 시작했다)

- □ ～ため（に）
  - 例 旅行に行く**ために**、お金を貯めます。
    (I will save money to go traveling. ／为了去旅游而存钱。／여행을 가려고 돈을 모아요.)

- □ ～たらどうですか
  - 例 気分が悪そうですね。少し休んだらどうですか。
  - (You look sick. Why don't you get some rest. ／你看起来不太舒服的样子。休息一会儿吧！／안색이 안 좋아 보이네요. 좀 쉬는 게 어때요?)

- □ ～だろう
  - 例 彼はきっと試験に合格するだろう。
  - (I'm sure that he will pass the exam. ／他的考试一定会合格的吧！／그는 틀림없이 시험에 합격할 것이다.)

- □ ～つづける
  - 例 足が痛くても、彼は最後まで走りつづけた。
  - (He continued to run to the end, even if his legs hurt. ／即使脚疼，他也坚持跑完了。／다리가 아파도 그는 끝까지 계속 달렸다.)

- □ ～て、…［理由］
  - 例 彼の話は難しくて、よくわかりませんでした。
  - (Because what he said was difficult, I couldn't understand it well. ／他说的太难，听不懂。／그 사람 말은 어려워서 잘 이해가 안갔어요.)

- □ ～って
  - 例 彼にそのことを言ったら、知らなかったって。／「すきやき」ってどんな食べ物ですか。
  - (When I told him about that, he said that he didn't know it. / I heard "sukiyaki". What kind of food is it? ／对他说了那件事情，他说不知道。/「すきやき」是什么食品呢？／그에게 그 이야기를 했는데, 몰랐었대./「스키야키」는 어떤 음식이에요?)

- □ ～で［原因］
  - 例 かぜで学校を休みました。
  - (I was absent from school with a cold. ／感冒请假，没去上课。／감기로 학교를 쉬었습니다.)

- □ ～ておく
  - 例 お客さんが来るので、飲み物を冷やしておきます。
  - (Since I will have guests, I chill the drinks beforehand. ／因为客人要来，先冻好饮料。／손님이 오실테니까 음료수를 차갑게 해 놓겠습니다.)

- □ ～てくる
  - 例 家に荷物を忘れたので、今から取ってきます。
  - (I left some stuff at home, so I will get them now. ／把行李忘家里了，现在去拿。／집에 짐을 두고 와 버려서 지금 가서 가져 올게요.)

- □ ～てしまう
  - 例 駅でさいふを落としてしまいました。
  - (I unfortunately lost my wallet in the station. ／把钱包掉车站了。／역에서 지갑을 잃어버렸어요.)

- □ ～てばかり
  - 例 彼は勉強しないで、毎日遊んでばかりだ。
  - (He is just playing around everyday without studying. ／他不学习，每天都只在玩儿。／그는 공부 안하고 매일 놀기만 한다.)

- □ ～てほしい
  - 例 みんなにこの本を読んでほしいです。
  - (I want everybody to read this book. ／希望大家都读读这本书。／모두가 이 책을 읽었으면 합니다.)

試験に出る 重要語句・文型リスト

□ 〜てはだめ

例 ここで写真をとってはだめです。

(You are not allowed to take pictures here. ／不能在这里照相。／여기서 사진을 찍으면 안돼요.)

□ 〜てみる

例 〈店で〉これ、着てみてもいいですか。

(<at a store> May I try this on? ／（商店）这个能试穿一下吗？／<가게에서>이거 입어 봐도 돼요?)

□ 〜ても

例 雨が降っても、試合は行われます。

(Even if it rains, we will have the game. ／即使下雨，比赛还是照常进行。／비가 와도 시합은 합니다.)

□ 〜てもかまわない

例 〈テストで〉辞書を使ってもかまいません。

(<For the test> You may use dictionaries. ／（考试时）用辞典也可以的。／<테스트에서>사전을 사용해도 괜찮습니다.)

□ 〜てやる

例 教えてやってもいいけど、誰にも言うなよ。

(I can tell you about it, but don't tell anyone. ／跟你说也可以，可别对其他人说哟。／가르쳐 줄 테니 아무에게도 말하지 마.)

□ 〜とおりに

例 子どものころは、いつも母の言うとおりにしていました。

(When I was a child, I always did what my mother told me to do. ／小时候，总是妈妈说什么就做什么。／어릴 적에는 항상 어머니 말씀대로 했어요.)

□ 〜とか…とか

例 むこうは寒いから、手袋とかマフラーとか持っていったほうがいいよ。

(Since it is cold there, you should bring things like gloves and scarves. ／那边冷，带着手套和围巾过去为好。／그쪽은 추우니까 장갑이나 마후라를 가져가는 게 좋아.)

□ 〜ところ

例 たった今起きたところです。

(I've just woken up. ／刚刚才起来。／지금 막 일어났어요.)

□ 〜なくてはいけません

例 図書館では静かにしなくてはいけません。

(You have to be quiet in libraries. ／图书馆必须保持安静。／도서관에서는 조용히하지 않으면 안돼요.)

□ 〜なくてもいい

例 時間はあるので、急がなくてもいいです。

(I have time, so you don't have to hurry. ／有时间不用着急。／시간은 있으니까, 서둘지 않아도 돼요.)

□ 〜なら

例 おすしを食べるなら、駅前の「太郎ずし」がいい。

(If you want to eat sushi, "Tarozushi" in front of the station would be good. ／如果要吃寿司的话，车站前面的"太郎寿司"不错。／초밥 먹을 거면 역 앞에 있는 「다로즈시」가 좋아.)

□ 〜にくい

例 おはしが短くて、食べにくい。

(It is hard to eat with these chopsticks, because they are too short. ／筷子太短了，用起来不方面。／젓가락이 짧아 먹기 어려워.)

文法

□ **〜のために**

例 子ども**のために**、おいしい料理を作ります。
(I cook delicious dishes for children. ／为了孩子，做了好吃的饭菜。／아이를 위해 맛있는 요리를 만들어요.)

□ **〜のに**

例 練習した**のに**、面接でうまく話せなかった。
(Although I practiced, I could not speak well at the interview. ／虽然练习了，但是面试的时候说得不好。／연습했는데 면접에서 제대로 말할 수 없었다)

□ **〜ば**［条件］

例 明日天気がよけれ**ば**、海へ行こうと思っています。
(If the weather is good tomorrow, I'm planning to go to the beach. ／如果明天天气好的话，想去趟海边。／내일 날씨가 좋으면 바다에 가려고 해요.)

□ **〜ばかり**

例 起きた**ばかり**で、まだ服も着替えていません。
(I just woke up and have not even gotten dressed yet. ／刚刚起来，还没换衣服。／방금 일어나서 아직 옷도 안 갈아 입었어요.)

□ **〜はじめる**

例 息子は今月卒業して、来月から働き**始めます**。
(My son will graduate this month and start to work next month. ／儿子这个月毕业，下个月开始上班。／아들은 이번 달에 졸업해 다음 달부터 일하기 시작합니다.)

□ **〜はずがない**

例 まじめな彼が、そんなことを言う**はずがない**。
(He is a serious person and I can't believe that he says such things. ／认真的他是不可能说那种话的。／착한 그가 그런 말을 할 리가 없다.)

□ **〜はずだ**［確信］

例 昨日連絡がありましたから、彼は来る**はずです**。
(I believe that he will come, since he contacted me yesterday. ／昨天联系了，他应该会来。／어제 연락이 있었으니까, 그는 틀림없이 올 거예요.)

□ **〜はずだ**［納得］

例 エアコンが壊れていたんだね。暑い**はずだ**。
(The air conditioner has been broken. No wonder it is hot. ／空调坏了吧，那就应该会热了。／에어컨이 고장났었구나. 더운게 당연하다.)

□ **〜ばよかった**

例 もうちょっと早く家を出れ**ばよかった**。
(I wish I left home a little earlier. ／要是早点儿从家里出来就好了。／좀 더 빨리 집을 나오면 좋았다.)

□ **〜ほど…ない**

例 私は姉**ほど**ピアノが上手では**ありません**。
(I'm not as good at playing the piano as my older sister. ／我弹钢琴没有姐姐弹得好。／저는 언니(누나) 만큼 피아노를 잘 못쳐요.)

□ **〜みたい**［例え］

例 私は彼**みたい**にうまく話せません。
(I can't talk as well as he does. ／我不能像他那样那么会说话。／저는 그 사람처럼은 말을 잘 못해요.)

試験に出る 重要語句・文型リスト

☐ **～みたい [推量]**

例 あの男の子、お母さんを探している**みたい**。

(It seems that the boy is looking for his mother.／那个男孩好像在找妈妈。／저 남자 아이는 엄마를 찾고 있는 것 같다.)

☐ **～やすい**

例 この本はとても読み**やすい**。

(This book is very easy to read.／这本书很容易读（好懂）。／이 책은 참 읽기쉽다.)

☐ **～(よ)うとする**

例 出かけ**ようとした**とき、電話がかかってきました。

(When I was about to go out, the phone rang.／正要出门的时候，电话打过来了。／외출하려고 할 때 전화가 걸려왔어요.)

☐ **～(よ)うと思う**

例 今週末、東京に遊びに行こう**と思う**。

(I'm planning to go to Tokyo to have fun this weekend.／这周末想去东京玩儿一下。／이번 주말에 도쿄에 놀러가려고 한다.)

☐ **～ようだ [推量]**

例 昨日の夜、雨が降った**ようです**。道路がぬれています。

(It seems that it rained last night. The roads are wet.／昨天晚上好像下雨了，路上湿的。／어제 밤에 비가 내린것 같습니다. 도로가 젖어있습니다.)

☐ **～ような [例え]**

例 東京の**ような**都会にも、たくさんの自然が残っています。

(We still have a lot of nature in big cities like Tokyo.／像东京这样的都市，也留着很多的大自然。／도쿄같은 도시에도 자연이 많이 남아 있어요.)

☐ **～ようだ [例え]**

例 3月なのに、今日は冬の**ようです**ね。

(It is March, but today is cold like winter.／虽然三月了，但今天就像冬天一样。／3월인데도 오늘은 겨울 같아요.)

☐ **～ように [目的]**

例 よく聞こえる**ように**、大きな声で話してください。

(Please speak loudly, so we can hear.／为了让大家听清，请大声说话。／잘 들리도록 큰 소리로 말해 주세요.)

☐ **～ようにしている**

例 毎日、野菜をたくさん食べる**ようにしています**。

(I'm trying to eat a lot of vegetables everyday.／每天都吃很多蔬菜。／매일 야채를 많이 먹도록 하고 있어요.)

☐ **～ようにする**

例 これからは遅れない**ようにします**。

(I try not to be late from now on.／从今以后决定尽量不迟到。／이제부터는 늦지않도록 하겠습니다.)

☐ **～ようになる**

例 最近、少し日本語の新聞が読める**ようになりました**。

(Recently, I became to be able to read Japanese newspapers a little bit.／最近能读一些日语的报纸了。／요즘에는 일본어 신문을 조금 읽을 수 있게 되었어요.)

文法

□ ~より…ほうが

例 京都より東京の**ほうが**人が多いです。

(There are more people in Tokyo than Kyoto. ／比起京都来说，东京的人比较多。／교토보다 도쿄 쪽이 사람이 많아요.)

□ ~らしい［推量］

例 リサさんはもうすぐ国に帰る**らしい**。

(I guess Risa will go back to her country soon. ／好像丽萨快回国了。／리사씨는 이제 곧 자기 나라로 돌아가는 것 같아.)

□ ~らしい［典型的］

例 彼女もたまに、女性**らしい**服を着ることがある。

(She wears feminine clothes once in a while. ／她偶尔也打扮得有女人味。／그녀도 가끔 여성스러운 옷을 입을 때가 있다.)

□ 疑問詞＋か

例 どこに泊まる**か**、まだ決めていない。

(I haven't decided where to stay yet. ／还没决定住哪里。／어디에 묵을 지 아직 안 정했다.)

□ 疑問詞＋でも

例 困ったときは、いつ**でも**聞いてください。

(Please ask me anytime if you have any trouble. ／要是有困难，请尽管问。／곤란할 때는 언제든지 물어 보세요.)

□ 使役形

例 子どもの熱が下がらないので、薬を**飲ませました**。

(I made my child take the medicine, since fever didn't go down. ／孩子的烧不退，让他喝了些药。／아이 열이 안 내려가서 약을 먹였어요.)

□ 使役＋受身

例 友達に２時間も**待たされました**。

(I was made to wait for two hours by my friend. ／让朋友等了两个小时。／친구를 2시간이나 기다렸어요.)

読解 読解問題に出るキーワード

- □ 安心(する) あんしん　to be relieved ／安心／안심
  - 例 子どもの声を聞いて、安心した。
- □ 安全(な) あんぜん　safe ／安全的／안전한
  - 例 安全な場所に移る
- □ 会話 かいわ　conversation ／谈话／대화
  - 例 日本語で会話する
- □ 科学 かがく　science ／科学／과학
  - 例 科学者、科学的な方法
- □ ～学部 がくぶ　faculty of ~ ／～学院／～ 학부
  - 例 文学部、経済学部
- □ 変わる かわる　to change ／变，变化／바뀌다
  - 例 住所が変わった。
- □ 関係 かんけい　relationship ／关系／관계
  - 例 外国との関係、関係のない話
- □ 機会 きかい　opportunity ／机会／기회
  - 例 ～を経験する機会、いい機会
- □ 危険(な) きけん　risk, dangerous ／风险／위험
  - 例 危険な仕事
- □ 技術 ぎじゅつ　technology ／技术／기술
  - 例 技術を学ぶ、高い技術
- □ 規則 きそく　rules, regulations ／规则／규칙
  - 例 学校の規則、規則を守る
- □ 急に きゅうに　suddenly ／突然／갑자기
  - 例 急に痛くなる、急に電話をする
- □ 教育 きょういく　education ／教育／교육
  - 例 子どもの教育、外国語教育
- □ 興味 きょうみ　interest ／兴趣／관심
  - 例 日本の文化に興味がある
- □ 空気 くうき　air ／空气／공기
  - 例 乾いた空気、汚れた空気
- □ 比べる くらべる　to compare ／比较／비교하다
  - 例 二つの本を比べる
- □ 経験(する) けいけん　experience ／经验／경험
  - 例 外国での生活を経験する
- □ 県 けん　prefecture ／县／현
  - 例 県の大会、広島県
- □ 原因 げんいん　cause, reason ／原因／원인
  - 例 事故の原因
- □ 見物(する) けんぶつ　sightseeing ／参观／관광
  - 例 お祭りを見物する
- □ 講義 こうぎ　lecture ／演讲／강의
  - 例 大学の講義、講義に出る
- □ 工場 こうじょう　factory ／工厂／공장
  - 例 ビール工場、工場で働く
- □ 交通 こうつう　transportation ／交通／교통
  - 例 交通の便がいい(＝電車やバスなどが十分あり、便利だ。)
- □ 壊す こわす　to break, destroy ／破坏，打碎／끊는
  - 例 落として、カメラを壊してしまった。
- □ 壊れる こわれる　to break ／破碎，弄坏／분쇄지다
  - 例 10年使ったパソコンが、とうとう壊れた。
- □ 材料 ざいりょう　materials ／材料／재료
  - 例 このおもちゃの材料は木と紙だけです。
- □ 差し上げる さしあげる　「あげる」の尊敬語。
  - 例 明日、お返事を差し上げます。
- □ 仕方 しかた　how to do ／办法／방법
  - 例 化粧の仕方は姉が教えてくれた。
- □ 叱る しかる　to scold ／训斥／혼나다
  - 例 子どものころ、よく先生に叱られました。
- □ 事務所 じむしょ　office ／办公室／사무실
  - 例 学校の事務所、事務所で尋ねる
- □ 社会 しゃかい　society ／社会／사회
  - 例 日本の社会、社会の役に立つこと

☐ 自由(な)	free ／自由／자유	☐ 楽しみ	pleasure ／快乐，消遣，乐趣，兴趣，爱好／즐거움
	例 自由なやり方／何を話すかは自由です。		例 旅行が楽しみです。
☐ 習慣	habit ／习惯／습관	☐ 楽しむ	to enjoy ／欣赏，享受／즐기다
	例 日本の習慣、寝る前に本を読む習慣		例 スポーツを楽しむ、会話を楽しむ
☐ 趣味	hobby, pastime ／兴趣，爱好／취미	☐ 力	strength, power ／力量／힘
	例 趣味は山登りです。		例 腕の力、科学の力、力を入れる
☐ 商品	product ／商品／상품	☐ 疲れる	to get tired ／疲惫／피곤하다
	例 新商品、商品を売る		例 仕事で疲れる
☐ 将来	future ／将来／장래	☐ 続く	to continue (intr.) ／持续／계속
	例 将来の夢		例 暑い日が続く。
☐ 調べる	to examine, research ／查、调查／살피다	☐ 続ける	to continue (tr.) ／继续／계속
	例 値段を調べる、原因を調べる		例 練習を続ける
☐ 人口	population ／人口／인구	☐ 展覧会	exhibition ／展览会／전람회
	例 人口が増える		例 ピカソの展覧会
☐ 神社	shrine ／神社／신사	☐ 特急	super express ／特快／특급
☐ 生活(する)	life ／生活／생활		例 特急で行く、特急の切符を買う
	例 都会の生活／生活が厳しい。	☐ 匂い	smell ／气味／냄새
☐ 生産(する)	manufacture ／生产／생산		例 石けんの匂い
	例 自動車の生産、米の生産	☐ 値段	price ／价格／가격
☐ 世界	world ／世界／세계		例 値段が上がる、野菜の値段
	例 世界のニュース、世界で一番好きな場所	☐ 場合	case ／如果／경우
			例 雨の場合、一人で行く場合
☐ 専門	subject, specialty ／专业／전문	☐ 光る	to shine ／发光／빛난다
	例 私は経済が専門です。／～を専門に研究する		例 遠くで何かが光っている。
		☐ 普通の	common ／常见，平时／보통
☐ 育てる	to grow ／培育／키우다		例 普通の席、普通のコース
	例 子どもを育てる、リンゴを育てる	☐ 文学	literature ／文学／문학
			例 日本の文学を研究する
☐ 退院(する)	to be discharged from hospital ／出院／퇴원	☐ 貿易	trade ／贸易／무역
			例 外国との貿易、貿易の会社
☐ 台風	typhoon ／台风／태풍	☐ 放送(する)	broadcast ／播放，广播／방송
☐ 訪ねる	to visit ／拜访／방문하다		例 テレビの放送局(＝放送する所)
	例 先生の家を訪ねる	☐ 予定(する)	schedule ／预定／예정
☐ 例えば	for example ／例如／예를 들면		例 来月の予定、予定を知らせる
	例 例えば、京都に行くのはどう？	☐ 寄る	to stop by ／顺便去／들리다
			例 途中でコンビニに寄る
		☐ 冷房	air-conditioning ／冷气／냉방
			例 冷房が強すぎて、寒い。

試験に出る 重要語句・文型リスト

- □ 連絡(する) contact ／联系／연락
  - 例 会社に連絡する、忘れずに連絡する
- □ 結果 result ／结果／결과
  - 例 テストの結果、結果を報告する
- □ 家庭 family ／家庭／가정
  - 例 温かい家庭、教育の厳しい家庭
- □ イベント event ／活动／이벤트
  - 例 イベントの計画、イベントを行う
- □ 寮 dormitory ／宿舍／기숙사
  - 例 学生寮、寮で生活する
- □ 役に立つ to be useful ／有用／도움이 되다
  - 例 社会の役に立つ仕事
- □ 約〜 about 〜／大约〜／약〜
  - 例 約3時間で東京に着く

聴解 聴解問題に出るキーワード

- □ 伺う 「聞く、質問する」のていねいな言い方（謙譲語）
  - 例 すみません、ちょっと伺ってもよろしいでしょうか。
- □ 売り場 section(of a store) ／卖场／매장
  - 例 おもちゃ売り場
- □ 運動（する） exercise ／运动／운동
  - 例 健康のために何か運動をしたほうがいい。
- □ 遠慮（する） reserve ／①客气② 辞谢／사양
  - 例 遠慮しないで、たくさん食べてください。
- □ 贈り物 プレゼント。gift ／礼物／선물
- □ 夫 husband ／丈夫／남편
  - 例 夫は今、留守です。
- □ 終わり end ／结束／끝
  - 例 授業の終わりにテストを返してもらった。
- □ 会議室 meeting room ／会议室／회의실
- □ 帰り 帰ること。return ／回去／돌아옴．돌아감
  - 例 帰りの電車、帰りにスーパーに寄る
- □ かしこまりました わかりました。Yes, sir ／知道了、好的（我明白了）／알겠습니다
  - ※ 店員などが客に対して使うことが多い。
- □ (使い)方 how to (use) ／用法／(사용)법
  - 例 作り方、予約の仕方
- □ 片づける to clear away ／收拾／정리하다
  - 例 食器を片づける、部屋を片づける

- □ 格好 appearance ／样子、模样／차림
  - 例 明日、どんな格好で行く？／きちんとした格好
- □ 家内 自分の妻のこと。my wife ／妻子／가내
  - 例 家内は今、出かけています。
- □ 通う to attend ／往来、往返（上～）／다니는
  - 例 日本語学校に通う、電車で通う
- □ 代わりに instead of ~ ／而不是～／대신
  - 例 私の代わりに彼が行きます。／牛乳の代わりにヨーグルトを使った。
- □ 厳しい severe ／严厉, 苛刻, 厉害／엄격한
  - 例 厳しい先生、厳しい寒さ
- □ 気分 mood ／心情／기분
  - 例 車に長く乗ると、気分が悪くなります。
- □ 景色 landscape ／景观／경치
  - 例 窓からの景色、美しい景色
- □ 欠席（する） absence ／缺席／결석
  - 例 授業を欠席する
- □ 国際 international ／国际的／국제
  - 例 国際会議、国際的なイベント
- □ 故障（する） failure, trouble ／故障、毛病、障碍／고장
  - 例 機械の故障／故障したかもしれない。
- □ 最近 recently ／最近／최근
  - 例 最近のニュース／最近、ジョギングを始めました。
- □ 最後 last ／最后／마지막
  - 例 最後にデザートが出ます。／最後の授業

試験に出る 重要語句・文型リスト

- **最初**(さいしょ) first／第一／처음
  - 例 最初に名前を書いてください。／最初の授業
- **さっき** just now／刚才／아까
  - 例 さっき、荷物が届きました。
- **支度**(したく)(する) 準備(する)。preparation／准备、预备／준비
  - 例 出かける支度／支度ができました。
- **失敗**(しっぱい)(する) failure／失败／실패
  - 例 計画は失敗しました。
- **しばらく** for a while／一会儿、暂时、好久没〜／잠시
  - 例 しばらくお待ちください。／彼とはしばらく会っていません。
- **主人**(しゅじん) my husband／丈夫／주인
  - 例 主人は今、出かけています。／ご主人はお元気ですか。
- **出席**(しゅっせき)(する) attendance／勤／참석
  - 例 結婚式に出席する
- **準備**(じゅんび)(する) preparation／准备、预备、储备／준비
  - 例 パーティーの準備
- **紹介**(しょうかい)(する) introduction／介绍／소개
  - 例 友達を紹介する
- **招待**(しょうたい)(する) invitation／请帖／초대
  - 例 パーティーに招待する、家に招待する
- **心配**(しんぱい)(する) worry／担心／걱정
  - 例 娘と連絡がとれないので心配です。
- **水泳**(すいえい) 泳ぐこと。swimming／游泳的／수영
  - 例 水泳教室／水泳が得意です。
- **おなかがすく** to get hungry／肚子饿了／배가 고프다
- **すぐに** immediately／立即／즉시
  - 例 すぐに返事をください。／すぐにわかった。

- **ずっと** all the time／一直／계속
  - 例 朝からずっと雨が降っています。
- **隅**(すみ) corner／角落／모서리
  - 例 部屋の隅に置く
- **世話**(せわ) care／照顾、关照／보살핌
  - 例 お世話になりました。／犬の世話は、家族みんなでやります。
- **先輩**(せんぱい) senior／前輩／선배
  - 例 学校の先輩、会社の先輩
- **後輩**(こうはい) junior／后辈、晚輩／후배
  - 例 サークルの後輩、会社の後輩
- **相談**(そうだん)(する) consultation／谘询／상담
  - 例 先生に相談する
- **そろそろ** by now／渐渐、就要／슬슬
  - 例 そろそろ帰ります。／そろそろ試合が始まる。
- **そんなに〜ない** not so much 〜／没有那么多〜／그렇게 〜지 않다
  - 例 試験は、そんなに難しくなかった。
- **大事**(だいじ)(な) important／重要的、贵重的／소중한
  - 例 大事な会議、大事な約束
- **チェック(する)** check／查／체크
  - 例 予定をチェックする、間違いがないかチェックする
- **伝える**(つたえる) to tell／告诉／전하다
  - 例 考えを伝える、結果を伝える
- **丁寧**(ていねい)(な) polite／有礼貌／정중한
  - 例 丁寧な説明、丁寧に断る
- **適当**(てきとう)(な) appropriate／适当／적당한
  - 例 適当な言葉を選ぶ／適当な店が見つからない。
- **通り**(とおり) street／街道／거리
  - 例 にぎやかな通り、大通り

☐ 特に(とく)	especially ／特别／특히	
	例 特に大切なもの／特にほしいものはありません。	
☐ 治す(なお)	to cure ／治疗／치료	
	例 病気を治す	
☐ なくなる	to disappear ／消失／없어지다	
	例 もうすぐバターがなくなる。	
☐ 慣れる(な)	to get used to ／习惯、熟悉／익숙해지다	
	例 新しい会社に慣れる、日本の食べ物に慣れる	
☐ 熱(ねつ)	heat ／热／열	
	例 熱が出る、熱が下がる、熱の力	
☐ 寝坊(する)(ねぼう)	to oversleep ／睡过头／늦잠	
	例 寝坊して電車に遅れてしまった。／朝寝坊	
☐ 眠い(ねむ)	sleepy ／困／졸리는	
	例 だんだん眠くなってきた。	
☐ 眠る(ねむ)	to sleep ／睡觉／잠들다	
	例 昨日はよく眠れましたか。	
☐ 残る(のこ)	to remain ／留、留下、剩、剩下／남다	
	例 残った料理／まだ仕事が残っています。	
☐ 反対(はんたい)	opposition ／相反／반대	
	例 駅の反対側、反対の方向	
☐ 複雑な(ふくざつ)	complicated ／相反／복잡한	
	例 複雑なやり方、複雑な話	
☐ 別の(べつ)	another ／另外的、别的／다른	
	例 別の方法／別の店にしましょう。	
☐ 変(な)(へん)	strange ／奇怪／이상한	
	例 変な髪型／変な音がする。	
☐ 息子(むすこ)	son ／儿子／아들	
	例 息子は今、東京の大学に行っています。	
☐ 娘(むすめ)	daughter ／女儿／딸	
	例 休みの日に、よく娘と買い物に行きます。	
☐ 汚れる(よご)	to get dirty ／脏、污染／더러워지다	
	例 くつが汚れてしまった。／汚れた手でさわらないで。	
☐ 予約(する)(よやく)	reservation ／预约／예약	
	例 ホテルを予約する	

● 著者

渡邉 亜子（わたなべ あこ）　元明海大学非常勤講師
大場 理恵子（おおば りえこ）　東京農業大学非常勤講師
清水 知子（しみず ともこ）　横浜国立大学非常勤講師
高橋 尚子（たかはし なおこ）　熊本外語専門学校専任講師
青木 幸子（あおき さちこ）　松江総合ビジネスカレッジ専任講師

　　　　　　レイアウト　　オッコの木スタジオ
　　　　　　　　　DTP　　センターメディア
　　　　カバーデザイン　　花本浩一
　　　　　　　　　翻訳　　Ako Lindstrom／王雪／司馬黎／崔明淑／宋貴淑
　　　　　本文イラスト　　杉本智恵美

日本語能力試験 完全模試 N4

平成 25 年（2013 年）　5 月 10 日　初版第 1 刷発行
令和 3 年（2021 年）　7 月 10 日　　　　第 6 刷発行

著　者　渡邉亜子／大場理恵子／清水知子／高橋尚子／青木幸子
発行人　福田富与
発行所　有限会社Ｊリサーチ出版
　　　　〒166-0002　東京都杉並区高円寺北 2-29-14-705
電　話　03(6808)8801（代）　FAX　03(5364)5310
編集部　03(6808)8806
　　　　https://www.jresearch.co.jp
印刷所　株式会社シナノ パブリッシング プレス

ISBN 978-4-86392-138-2
禁無断転載。なお、乱丁、落丁はお取り替えいたします。

©2013　Ako Watanabe, Rieko Oba, Tomoko Shimizu, Naoko Takahashi, Sachiko Aoki
All rights reserved. Printed in Japan

日本語能力試験 完全模試 シリーズ

ゼッタイ合格！
日本語能力試験 完全模試
N4

Japanese Language Proficiency Test N4—Complete Mock Exams
日语能力考试　完全模拟试题　N4
일본어능력시험　완전모의고사　N4

渡邉亜子／大場理恵子／清水知子／高橋尚子／青木幸子●共著

模擬試験●第1～3回
問題

※最後に解答用紙があります。

★この別冊は、接着部分を押し広げながら強く引っぱると取り外せます。
The appendix can be removed by pulling it out strongly while spreading open the attached section.
将连接部分边按边用力拽，就可以将分册取出。
이 별책은 접착 부분을 눌러 펼치면서 힘껏 잡아당기면 뗄 수 있습니다.

Jリサーチ出版

模擬試験 第1回

N4

げんごちしき（もじ・ごい）

（30ぷん）

模擬試験 第1回

3分(1問20秒)

もんだい1 ＿＿＿＿のことばは ひらがなで どう かきますか。
1・2・3・4から いちばん いい ものを ひとつ えらんで ください。

(例) こうこうせいの ころは 小説家に なりたかった。
1 しょうどく　　2 しょうぜい　　3 しょうせつ　　4 しょうわ

(かいとうようし) (例) ① ② ● ④

1 受付の 人に ぼうしの うりばを 聞きました。
1 うけつけ　　2 うけつく　　3 うきつき　　4 うくつけ

2 ともだちに 謝りました。
1 さわり　　2 やり　　3 かり　　4 あやまり

3 きょうは がっこうを やすむという 連絡を しました。
1 ねんらく　　2 れんなく　　3 れんらく　　4 ねんなく

4 泥棒に おかねを とられました。
1 どるぼう　　2 とるぼう　　3 どろぼ　　4 どろぼう

5 いもうとは とうきょうの だいがくに 入学できました。
1 にゅうがく　　2 にゅうかく　　3 にゅがく　　4 にゅかく

6 この でんしゃは 急行です。
1 きゅこう　　2 きゅうこう　　3 きゅっこう　　4 きゅっこ

7 スーパーの 駐車場に くるまを とめました。
1 つうしゃぞう　　2 ちゅうしゃぞう　　3 ちゅうさじょ　　4 ちゅうしゃじょう

8 がっこうへ いく 途中で せんせいに あいました。
1 とうちゅ　　2 となか　　3 とちゅう　　4 よなか

9 どうぞ えんりょしないで 自由に つかって ください。
1 じゆう　　2 じぶん　　3 じゅうしょ　　4 じゅうぶん

もんだい2 ＿＿＿のことばは どう かきますか。1・2・3・4から いちばん いい ものを ひとつ えらんで ください。

(例) としょかんに ほんを かえしました。
1 近しました　2 送しました　3 逆しました　4 返しました

(かいとうようし)　(例) ① ② ③ ●

10 りょうりを つくります。
1 使ります　2 作ります　3 借ります　4 体ります

11 じぶんの いけんを はっきり いって ください。
1 位見　2 意見　3 位験　4 意験

12 ジュースを かって のみます。
1 館みます　2 飯みます　3 食みます　4 飲みます

13 あいて いる せきに すわりました。
1 空いて　2 明いて　3 開いて　4 究いて

14 みせの まえに おおきな とおりが あります。
1 道り　2 通り　3 送り　4 週り

15 とけいが とまって います。
1 住まって　2 主まって　3 正まって　4 止まって

模擬試験 第1回

もんだい3 （　　）に なにを いれますか。1・2・3・4から いちばん いい ものを ひとつ えらんで ください。

(例) ちかくの（　　）で パンと ぎゅうにゅうを かいました。
1　レストラン　　2　コンビニ　　3　ぎんこう　　4　やおや

(かいとうようし) (例) ① ● ③ ④

16　まどに（　　）をかけていないので、へやの なかが あつい。
1　ガラス　　2　カーテン　　3　かべ　　4　ボタン

17　むずかしい もんだいですから、よく（　　）ください。
1　おもって　　2　かんで　　3　こたえて　　4　かんがえて

18　ドアを（　　）しめて ください。
1　なかなか　　2　ちっとも　　3　さっき　　4　しっかり

19　くるまが（　　）しているので、でんしゃで いく。
1　しっぱい　　2　したく　　3　こしょう　　4　ちゅうい

20　こどもを（　　）デパートへ いきました。
1　つれて　　2　なれて　　3　いれて　　4　はれて

21　きょねんは よく テニスを しましたが、（　　）は して いません。
1　さいご　　2　さいしょ　　3　さいきん　　4　あした

22　かれとは（　　）あって いません。
1　ずっと　　2　たまに　　3　ひじょうに　　4　とても

23　この えいごを にほんごに（　　）ください。
1　ほうそうして　　2　よういして　　3　ゆしゅつして　　4　ほんやくして

24　10ねん つかって いましたが、（　　）こわれて しまいました。
1　とくに　　2　そろそろ　　3　とうとう　　4　たまに

もんだい4 ＿＿＿＿の ぶんと だいたい おなじ いみの ぶんが あります。
1・2・3・4から いちばん いい ものを ひとつ えらんで ください。

(例) ワンさんに しんぶんの コピーを たのみました。
1 ワンさんに しんぶんの コピーを みせました。
2 ワンさんに しんぶんの コピーを おねがいしました。
3 ワンさんに しんぶんの コピーを あげました。
4 でんしゃの しんぶんの コピーを もらいました。

(かいとうようし)　(例) ① ● ③ ④

25 ここで しばらく おまち ください。
1 ここで しずかに まっていて ください。
2 ここで すこし まっていて ください。
3 ここで ながい じかん すわっていて ください。
4 ここで すこし すわっていて ください。

26 だんだん ひが くれて きました。
1 だんだん あたたかく なって きました。
2 だんだん さむく なって きました。
3 だんだん くらく なって きました。
4 だんだん あかるく なって きました。

27 おくれても かまいません。
1 おくれるなら こなくても いいです。
2 おくれても かならず きて ください。
3 おくれないように して ください。
4 おくれても いいです。

模擬試験 第1回

28 この いすは じゃまです。

1 この いすは いりません。
2 この いすは ちいさいです。
3 この いすは たいせつです。
4 この いすは ひつようです。

29 くるまが きゅうに うごいて びっくりしました。

1 くるまが きゅうに はしって おどろきました。
2 くるまが きゅうに とまって あんしんしました。
3 くるまが きゅうに はしって しんぱいしました。
4 くるまが きゅうに とまって ちゅういしました。

言語知識（文字・語彙）

もんだい5　つぎのことばの　つかいかたで　いちばん　いい　ものを
　　　　　1・2・3・4から　ひとつ　えらんで　ください。

(例) おく
　1　ごみは　ごみばこに　おいて　ください。
　2　いそいで　メールを　おいて　ください。
　3　にもつは　つくえの　うえに　おいて　ください。
　4　なくさないよう　かぎは　かばんに　おいて　ください。

　　（かいとうようし）　**(例)**　① ② ● ④

[30]　しあい
　1　かれは　ピアノの　しあいで　一位に　なりました。
　2　あしたの　かんじの　しあいの　ために、べんきょうします。
　3　じゅうどうの　しあいを　みに　いきます。
　4　びじゅつかんで　えの　しあいを　しています。

[31]　じゅうぶん
　1　かぜを　ひいて　ねつが　じゅうぶん　あります。
　2　しんじゅくには　たかい　たてものが　じゅうぶん　あります。
　3　しゅくだいが　じゅうぶん　あって　たいへんです。
　4　れいぞうこの　なかには　たべものが　じゅうぶん　あります。

[32]　きびしい
　1　この　ちゅうしゃは　たいへん　きびしいです。
　2　ひとりで　へやに　いると　きびしいです。
　3　いぬが　しんで　きびしいです。
　4　えいごの　せんせいは　とても　きびしいです。

33 すべる

1 じかんが ないので しごとを すべりました。
2 ビルの おくじょうから ボールが すべりました。
3 かいだんを いちだんずつ すべりました。
4 きょねんも この スキーじょうで すべりました。

34 けんぶつする

1 きのう ともだちと えいがを けんぶつしました。
2 ともだちと きょうとを けんぶつしました。
3 めがねを かけて ちいさい じを けんぶつしました。
4 かりて きた ほんを けんぶつしました。

模擬試験
第1回

N4
言語知識（文法）・読解
（60分）

言語知識（文法）・読解

8分（1問30秒）

もんだい1 （　）に 何を 入れますか。1・2・3・4から いちばん いい ものを 一つ えらんで ください。

(例) わたしは 毎朝 牛乳（　）飲みます。

1　が　　　　2　の　　　　3　を　　　　4　で

（解答用紙）　(例) ① ② ● ④

---

1 彼は 駅の 前（　）友だちを 30分も 待っていた。

1　に　　　　2　で　　　　3　を　　　　4　は

2 おなかが いっぱいで、ごはんを 半分（　）食べられなかった。

1　しか　　　2　でも　　　3　だけ　　　4　にも

3 A「田中さんの ぼうしは どれ（　）、わかりますか。」
　B「ええ。これですよ」

1　も　　　　2　に　　　　3　が　　　　4　か

4 道（　）わたる 時は、車に 気をつけましょう。

1　が　　　　2　で　　　　3　を　　　　4　に

5 A「早く 会社に もどってください。会議が 始まります。」
　B「はい。2時半まで（　）もどります。」

1　には　　　2　では　　　3　にも　　　4　でも

6 A「すみません。駅まで、（　）行けば いいでしょうか。」
　B「ここから 11番の バスに 乗って、3つ目の バス停で おりてください。」

1　どうして　　2　どのくらい　　3　どういう　　4　どうやって

模擬試験 第1回

7 A「田中さんは、もう 帰って しまいましたか。」
B「いえ、机の 上に カバンが おいて ある（　　）、まだ 帰って いない と 思いますよ。」

1　もの　　　2　こと　　　3　なら　　　4　から

8 A「あれ、何か いい におい（　　）ね。」
B「そうですね。あ、あそこに カレー屋さんが ありますよ。」

1　になります　　2　がします　　3　がなります　　4　をします

9 A「合格 おめでとうございます」
B「ありがとうございます。3回目の 試験で（　　）合格する ことが できました。」

1　やっと　　　2　ずっと　　　3　きっと　　　4　もっと

10 2歳の むすこは、最近 ことばが 話せる（　　）。

1　ことに なりました　　　　2　ように なりました
3　ことに しました　　　　　4　ように しました

11 わたしは 先月 日本へ 来た（　　）なので、まだ 日本人の 友だちが あまり いません。

1　から　　　2　とき　　　3　ばかり　　　4　こと

12 田中「ワンさんは 日本料理を 作る ことが できるんですか。」
ワン「ちょっと だけ です。日本語の 先生の 奥様に（　　）んです。」

1　教えて くださった　　　　2　教えて いただいた
3　教えたい　　　　　　　　4　教えさせた

13 A「この 料理は 温かい ほうが おいしいですよ。（　　）うちに 食べて ください。」
B「ありがとうございます。いただきます。」

1　冷める　　　2　冷めた　　　3　冷めない　　　4　冷めて いる

14 あの アパート は 部屋 も せまい（　　）、家賃 も 高い（　　）、人気 が ない。

1　し　　　　2　とか　　　　3　たり　　　　4　か

15 A「どうしたんですか。あまり 食べて いませんね。調子 が 悪いんですか。」
　 B「いえ、今日 は 昼ごはん を（　　）すぎて しまったんです。」

1　食べ　　　　2　食べる　　　　3　食べた　　　　4　食べて

模擬試験 第1回

もんだい2 ＿＿★＿＿に 入る ものは どれですか。1・2・3・4から いちばん いい ものを 一つ えらんで ください。

(問題例)

かばん ＿＿＿＿ ＿＿＿＿ ＿★＿ ＿＿＿＿ が あります。

1 さいふ　　2 の　　3 中　　4 に

(答え方)

1. 正しい 文を 作ります。

かばん ＿＿＿＿ ＿＿＿＿ ＿★＿ ＿＿＿＿ が あります。
　　　　2 の　　3 中　　4 に　　1 さいふ

2. ＿★＿に 入る 番号を 黒く 塗ります。

(解答用紙)　(例) ① ② ③ ●

---

16 しゅくだいが ＿＿＿＿ ＿＿＿＿ ＿★＿ ＿＿＿＿ いる。

1 散歩しよう　　　　2 終わったら
3 公園を　　　　　　4 と思って

17 リサさんは 仕事が ＿＿＿＿ ＿＿＿＿ ＿★＿ ＿＿＿＿ 勉強を 続けて いる。

1 一日も　　　　　　2 日本語の
3 休まずに　　　　　4 いそがしくても

18 今年の ____ ____ ★ ____ 。
1 去年　　　　　　　　2 冬は
3 寒くない　　　　　　4 ほど

19 次の 会議 ____ ____ ★ ____ そうだ。
1 ２週間後　　　　　　2 は
3 開かれる　　　　　　4 に

20 A「今日は　午後から　雨が　ふるそうですよ。」
　 B「えっ。そうなんですか。朝は　晴れて　いたので、____ ____ ★ ____ 。」
1 かさを　　　　　　　2 来て
3 しまいました　　　　4 持たないで

模擬試験 第1回

もんだい3 [21] から [25] に 何を 入れますか。文章の 意味を 考えて、1・2・3・4から いちばん いい ものを 一つ えらんで ください。

下の 文章は留学生が書いた手紙です。

日本のお父さん、お母さん

　お元気ですか。アメリカに 帰って もう 1週間が たちました。ホームステイの 時の 写真を [21]、日本の お父さんと お母さんの ことを 思い出します。2週間の ホームステイは、とても 楽しかったです。わたしは ホームステイを するまで、日本料理を [22]。はじめて 食べた 日本料理は、とても おいしかったです。その 中でも、特に お母さんが [23]「すきやき」の 味は 忘れられません。

　この間、日本で 買った 材料を 使って、アメリカ [24] すきやきを 作って みました。[25]、あまり 上手に できませんでした。もう少し 練習しよう と 思って います。

　もし 時間が あったら、ぜひ わたしの 家にも 来て くださいね。今度は わたしの 国の 料理を 紹介します。

　それでは、また。お元気で。

　　　　　　　　　　　　　　　　　　　　　　　ベロニカ

21
1 みないと 2 みると
3 みるなら 4 みないなら

22
1 食べます
2 食べました
3 食べた ことが ありました
4 食べた ことが ありませんでした

23
1 作られた 2 作って あげた
3 作って くれた 4 作って いただいた

24
1 でも 2 へも 3 にも 4 からも

25
1 それに 2 だから 3 でも 4 それで

模擬試験 第1回

もんだい4 つぎの(1)から(4)の文章を読んで、質問に答えてください。こたえは、1・2・3・4からいちばんいいものを一つえらんでください。

(1)

日本人はお風呂が大好きで、毎日お湯に入る習慣を持っている人も多いようです。そこで問題になるのが、かぜをひいたときに、お風呂に入るのかどうかということです。もちろん高い熱があるときには体が弱くなっているので、お風呂はやめたほうがいいですが、熱がだいぶ下がったときはどうしたらいいでしょうか。昔は、少しでも熱があったら、入らないほうがよいという人が多かったようですが、私は、お風呂に入ったほうが気分もよくなってよいと考えています。

26 かぜをひいているときにお風呂に入ることについて、この人は何と言っていますか。

1 昔から言われているように、かぜをひいたら、お風呂には入らないほうがいい。
2 高い熱があってもお風呂に入りたかったら、入ったほうがよい。
3 高い熱でなければ、少し熱があっても、お風呂に入ったほうがいい。
4 熱が少しあったら、熱が下がるまでお風呂に入らないほうがいい。

(2)
　最近、動物園では、お客さんに動物が動いているところを見せるために、新しい見せ方が考えられています。たとえば、A動物園では、動物たちは自由に泳いだり、動いたり、飛んだりできるようになっていて、私たちはそれを近くで見ることができます。また、昼は寝て、夜起きて動く動物を見せるために、特別な日を決めて、夜にお客さんが入れるようにした動物園もあります。このように動物園はいろいろ変わってきています。

27　このように動物園はいろいろ変わってきているのはなぜですか。
1　動物園に、いつでも入ることができるようになったから。
2　動物たちが、動物園に来た人を近くで見ることに慣れたから。
3　動物たちが、自由に泳いだり動いたりしたがったから。
4　動物園で働く人たちが、動いている動物を見せたいと考えるようになったから。

(3)

　私は小学校に入ったとき、教室でしずかに先生の話を聞くことができませんでした。友だちのほとんどは、小学校に入る前に幼稚園にかよって、しずかに話を聞くことに慣れていました。しかし、私はちがいました。4歳のとき、幼稚園へ一回行ってみたら、みんなが同じ歌を歌ったり、同じ音楽を聞いておどったりしていました。私はみんなで同じことをするのに興味がなかったので、幼稚園には行かないと自分で決めたのです。

28　この人は、どうして幼稚園に行かなかったのですか。

1　しずかに話を聞くことができなかったから
2　友だちが幼稚園に行かなかったから
3　音楽やダンスがきらいだったから
4　みんなで同じことをするのに興味がなかったから

(4)

〈さくらガーデンに住むみなさんへ〉

電気の安全チェックのご連絡

　明日、電気の安全チェックをします。朝10時半から12時まで、電気の止まる場所があります。エレベーターは動きません。マンションの1階入口のドアにも電気が来ませんから、開けたり閉めたりできません。チェックのあいだ、ドアは開けておきます。
　部屋の電気は止まりませんから、テレビやパソコンは使うことができます。部屋の電気は、別の日にチェックする予定です。

[29] さくらガーデンでは、明日の朝10時半から12時まで何ができませんか。

1　エレベーターに乗ること
2　テレビやパソコンを使うこと
3　マンションに出たり入ったりすること
4　部屋のドアを開けたり閉めたりすること

模擬試験 第1回

もんだい5 つぎの文章を読んで、質問に答えてください。答えは、1・2・3・4から、いちばんいいものを一つえらんでください。

16分

　私ははじめて日本の正月を経験した。
　12月31日は、まず、朝9時に中山さんと近くのスーパーに行った。何も買わなかったが、スーパーでおおぜいの人がいつもよりたくさんの食料品を買っているのを見た。正月に食べる特別な料理を作るためだそうだ。その特別な料理を12月31日までに作って、1月1日から3日までずっと食べる習慣があるそうだ。でも、今では1月1日からレストランで食事をする人もいると中山さんが言っていた。
　1月1日は、先輩と友達と神社へ出かけた。びっくりしたのは、神社に行こうとする人がたくさんいて、ずっと並んでいたことだ。神社の外で並んでいたら、さいふが見つからなくなってしまった。毎年、神社の前で待っているときにさいふを盗まれる人もいると聞いたので、盗まれてしまったのかと思ったが、よくさがしたら、かばんの中にあった。やっと神社に入れて、「よい年になるように」と祈った。神社では先輩がおみくじをひいた。おみくじをひくというのは、その年がよい年になるかどうかが書いてある紙をもらうことだ。先輩のおみくじにはよいことが書いてあったそうだ。そして、夕方、家に帰ってきた。

30 この人は12月31日に何をしましたか。
1　中山さんとスーパーで食べ物を買った。
2　スーパーでほかの人が買い物をしているのを見た。
3　中山さんとレストランで食事をした。
4　先輩と友達といっしょに神社に行った。

31 この人は何におどろきましたか。
1　スーパーでおおぜいの人がたくさんの食料品を買っていたこと
2　おおぜいの人が神社に来ていたこと
3　神社の前でどろぼうに財布をとられたこと
4　さいふがかばんの中にあったこと

32 この人は何をするために神社に行きましたか。
1 お金を神社にあげるため
2 よい年になるように祈るため
3 よいことが書いてある紙をもらうため
4 おみくじをひくため

33 日本の正月にはどんな習慣があるとわかりますか。
1 正月に特別な料理を作る習慣
2 1月1日にレストランで食事をする習慣
3 正月に神社に行って、祈る習慣
4 よい年になるようにおみくじをもらう習慣

模擬試験 第1回

もんだい6 右のページの「音楽練習室のご利用について」を見て質問に答えてください。答えは、1・2・3・4からいちばんいいものを一つえらんでください。

34 田中さんは 19:00～21:00 に 5人で練習室を使いたいと思っていますが、2500円以上は払えません。今日が月曜日で、次の部屋が空いているとき、どれを予約すればいいですか。

1　明日の練習室 A
2　明日の練習室 B
3　あさっての練習室 C
4　あさっての練習室 D

35 ホンさんは、練習室 D を 3日後の木曜日 10:30～12:30 で予約しましたが、用事ができたので、予約をキャンセルしようと思います。いくら払わなくてはいけませんか。

1　1000円
2　800円
3　700円
4　600円

音楽練習室のご利用について

- 練習室を使う人が多くても少なくても、かかるお金は同じです。何人までいっしょに使えるか、ご注意ください。
- 1時間からご利用できます。
- ご予約をキャンセルするときは、次のキャンセル料をお払いください。

　　7時間以上ご予約の方：13～2日前→料金の60%

　　　　　　　　　　　　1日前、その日→100%

　　1～6時間ご予約の方：6～2日前→料金の60%

　　　　　　　　　　　　1日前、その日→100%

料金表（1時間のご利用にかかるお金）

ご利用の時間		練習室（何人までいっしょに使えるか）			
		A（15人）	B（10人）	C（7人）	D（4人）
月～金曜	8:30～16:30	2000円	1500円	1000円	500円
	16:30～22:30	2500円	1800円	1300円	700円
土曜・日曜	8:30～22:30	2500円	1800円	1300円	700円
前日予約*	8:30～22:30	1500円	1200円	1000円	400円

＊前日予約：1日前の予約は特別に安い料金になります。（練習室がまだ空いているとき）

模擬試験
第1回

N4
聴解
（35分）

模擬試験 第1回

もんだい1

もんだい1では、まず しつもんを 聞いて ください。それから 話を 聞いて、もんだいようしの 1から4の 中から、いちばん いい ものを 一つ えらんで ください。

れい

1　パン屋
2　本屋
3　コンビニ
4　スーパー

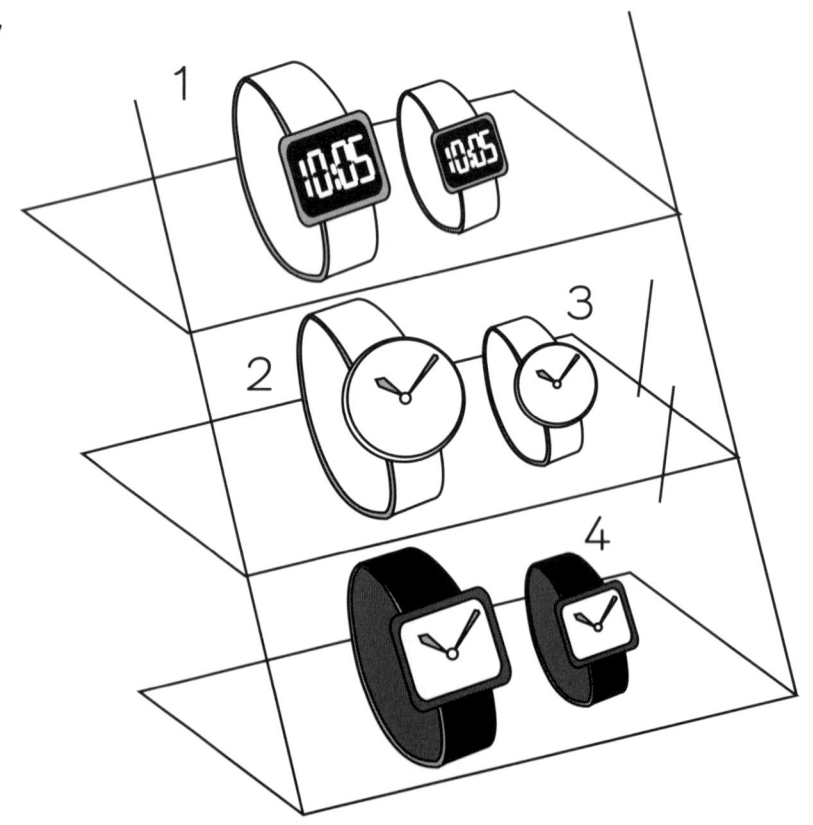

1ばん

2ばん

1 （〇〇デパート）
2 （COFFEE）
3 （BOOK）
4 （××スーパー）

3ばん

1 食事を します。
2 紙に 名前を 書きます。
3 いすに すわって 待ちます。
4 店を 変えます。

模擬試験 第1回

4ばん

わたしのかぞくをしょうかいします。
わたしのかぞくは、両親と姉と妹、
そしてわたしです。全部で5人です。
父は…

ア / イ / ウ

1　ア　イ　ウ
2　ア　ウ
3　ア　イ
4　イ　ウ

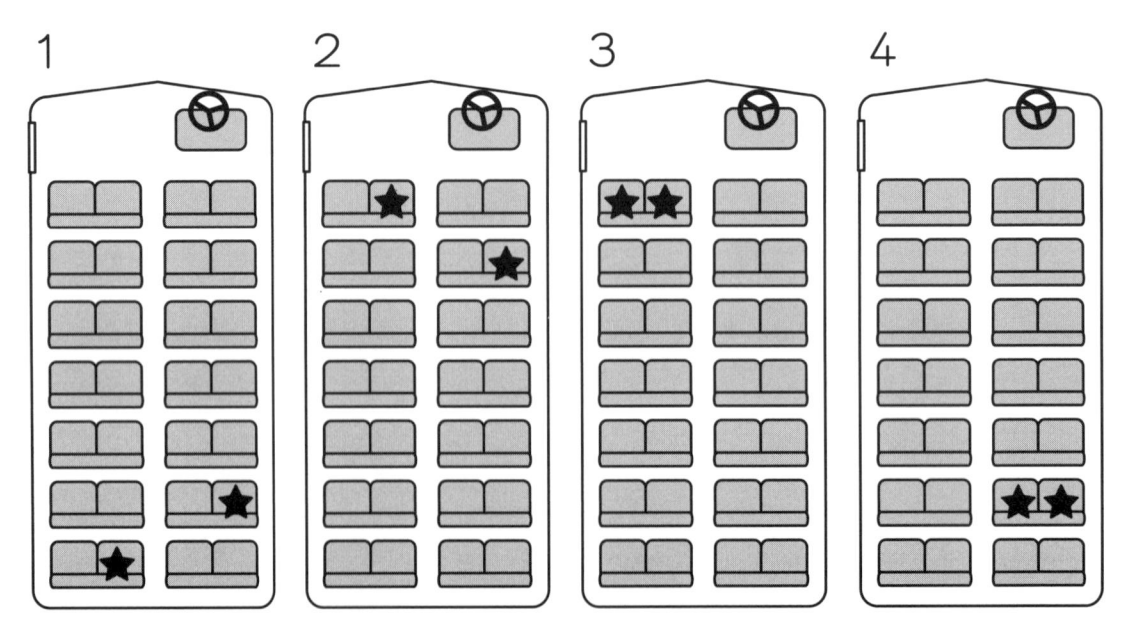

5ばん

1　2　3　4

6ばん

7ばん

1　服を　買います
2　車を　買います
3　貯金します
4　旅行します

8ばん

1　8時に　レストラン
2　7時45分に　レストラン
3　8時に　駅の　北の　出口
4　7時45分に　駅の　北の　出口

模擬試験 第1回

もんだい2

もんだい2では、まず しつもんを 聞いて ください。そのあと、もんだいようしを 見て ください。読む 時間が あります。それから 話を 聞いて、もんだいようしの 1から4の 中から、いちばん よい ものを 一つ えらんで ください。

れい

1　しごとが たいへんだから
2　アルバイト代が 安いから
3　べんきょうが いそがしく なったから
4　りゅうがくを することに なったから

1ばん

1　月曜日
2　火曜日
3　水曜日
4　木曜日

2ばん

1　とても 広いところ
2　動物が 多い ところ
3　子どもが 多い ところ
4　駅から 遠い ところ

3ばん

1　店を えらぶ
2　店を よやくする
3　みんなに さんかできる 日を 聞く
4　みんなに 場所を 知らせる

4ばん

1　広い かいぎ室が あいていないから
2　かいぎ室の よやくを わすれたから
3　せまい かいぎ室に かえたから
4　かいぎに 出る 人が ふえたから

5ばん

1 ゆうびんで 送る
2 Eメールで 送る
3 けんきゅう室の 前の はこに 入れる
4 けんきゅう室で 先生に ちょくせつ わたす

6ばん

1 じこに あったから
2 やくそくの 時間に おくれそうだから
3 やくそくの 時間を 決めたいから
4 今日は 行けなくなったから

7ばん

1 国に 帰って はたらく
2 東京の 会社で はたらく
3 日本で べんきょうを つづける
4 まだ 決めていない

もんだい３

もんだい３では、えを 見ながら しつもんを 聞いて ください。
➡(やじるし)の 人は 何と 言いますか。１から３の 中から、いちばん いい ものを 一つ えらんで ください。

れい

模擬試験 第1回

1ばん

2ばん

3ばん

4ばん

5ばん

もんだい４

29~38 CD1

もんだい４では、えなどが ありません。まず ぶんを 聞いてください。それから、そのへんじを 聞いて、１から３の 中から、いちばん いい ものを 一つ えらんで ください。

― メモ ―

模擬試験
第2回

N4

げんごちしき（もじ・ごい）

（30ぷん）

模擬試験 第2回

もんだい1 ＿＿＿＿のことばは ひらがなで どう かきますか。
1・2・3・4から いちばん いい ものを ひとつ えらんで ください。

(例) こうこうせいの ころは 小説家に なりたかった。
1　しょうどく　　2　しょうぜい　　3　しょうせつ　　4　しょうわ

(かいとうようし)　(例) ① ② ● ④

1　ほっかいどうの お土産を ともだちに あげました。
1　おくりもの　　2　おかし　　3　おもちゃ　　4　おみやげ

2　あたらしい 洋服を かいました。
1　ようふく　　2　よふう　　3　ようぶ　　4　よふく

3　会議室は 3がいに あります。
1　かいいしつ　　2　がえきしつ　　3　かいぎしつ　　4　がいいしつ

4　かんじの 辞典を かいました。
1　じってん　　2　つうてん　　3　つうでん　　4　じてん

5　きれいな 音楽が きこえます。
1　おとらく　　2　おんがく　　3　おがく　　4　おんかく

6　げんかんに はなを 飾りました。
1　かじゃり　　2　がじゃり　　3　かざり　　4　かぜり

7　しんぶんで みたい 番組を さがします。
1　ばんぐみ　　2　ばぐみ　　3　ぱんくみ　　4　ばんくみ

8　財布を おとして しまいました。
1　さいぷ　　2　さいふ　　3　さいぶ　　4　ざいふ

9　きのう ともだちの いえを 訪ねました。
1　たずね　　2　たすね　　3　たっずね　　4　だっずね

もんだい2 ＿＿＿＿のことばは どう かきますか。1・2・3・4から いちばん いい ものを ひとつ えらんで ください。

(例) としょかんに ほんを かえしました。
1 近しました　　2 送しました　　3 逆しました　　4 返しました

(かいとうようし) (例) ① ② ③ ●

10 あたらしい テーブルを かいました。
1 真しい　　2 親しい　　3 近しい　　4 新しい

11 とくべつ もんだいは ありません。
1 特別　　2 持別　　3 待別　　4 時別

12 ごみは かようびと きんようびに すてます。
1 捨てます　　2 放てます　　3 集てます　　4 売てます

13 あの てらは とても ふるいです。
1 台い　　2 言い　　3 品い　　4 古い

14 ほんを かして もらいました。
1 貝して　　2 貸して　　3 質して　　4 買して

15 いぬと ねこの せわで まいにち いそがしいです。
1 世話　　2 生試　　3 世語　　4 生語

模擬試験 第2回

もんだい3 （　　）に なにを いれますか。1・2・3・4から いちばん いい ものを ひとつ えらんで ください。

（例）ちかくの（　　）で パンと ぎゅうにゅうを かいました。
1　レストラン　　2　コンビニ　　3　ぎんこう　　4　やおや

（かいとうようし）　（例）① ● ③ ④

---

16 ともだちに たんじょうびプレゼントを（　　）ました。
1　あげ　　2　かり　　3　くれ　　4　かし

17 わたしは まいにち 2じかん パン屋で（　　）を して います。
1　サンドイッチ　　2　したく　　3　アルバイト　　4　ようじ

18 しって いる ひとに あったら（　　）を しましょう。
1　うんどう　　2　あいさつ　　3　あんない　　4　えんりょ

19 ここで おかねを（　　）ください。
1　さがって　　2　おこなって　　3　もどって　　4　はらって

20 となりの うちの テレビの おとが（　　）です。
1　うるさい　　2　おかしい　　3　うれしい　　4　きびしい

21 いま でんわして ホテルを（　　）しました。
1　ツイン　　2　シングル　　3　よやく　　4　よてい

22 カーテンを（　　）ました。
1　こわし　　2　ひっこし　　3　かわり　　4　とりかえ

23 ちゅうしゃを している あいだは（　　）ください。
1　うかがわないで　　2　うけないで　　3　うごかないで　　4　うつらないで

24 おちゃを のむために ゆを（　　）ました。
1　おこし　　2　わき　　3　やき　　4　わかし

もんだい4 ＿＿＿の ぶんと だいたい おなじ いみの ぶんが あります。1・2・3・4から いちばん いい ものを ひとつ えらんで ください。

(例) ワンさんに しんぶんの コピーを たのみました。
1 ワンさんに しんぶんの コピーを みせました。
2 ワンさんに しんぶんの コピーを おねがいしました。
3 ワンさんに しんぶんの コピーを あげました。
4 でんしゃの しんぶんの コピーを もらいました。

(かいとうようし) (例) ① ● ③ ④

[25] そとを みると あめは やんで いました。
1 そとを みたら あめは すこし ふって いました。
2 そとを みると あめは つよく ふって いました。
3 そとを みたら あめは ふって いませんでした。
4 そとを みると あめは ふりそうでは ありませんでした。

[26] ふくが よごれて いますよ。
1 ふくが ぬれて いますよ。
2 ふくが きたないですよ。
3 ふくが かわいて いますよ。
4 ふくが きれいですよ。

[27] 9時に きょうしつに あつまって ください。
1 9じに きょうしつを でて ください。
2 9じに きょうしつに きて ください。
3 9じに きょうしつで みて ください。
4 9じに きょうしつに いれて ください。

28 へやを かたづけ ましょう。

1 へやを すぐに でましょう。
2 へやを きれいに しましょう。
3 へやを あたたかく しましょう。
4 へやを あかるく しましょう。

29 やまださんの かわりに すずきさんが いきました。

1 やまださんも すずきさんも いきました。
2 やまださんが いって、すずきさんは いきませんでした。
3 すずきさんが いって、やまださんは いきませんでした。
4 やまださんも すずきさんも いきませんでした。

もんだい5 つぎの ことばの つかいかたで いちばん いい ものを
1・2・3・4から ひとつ えらんで ください。

(例) おく
1 ごみは ごみばこに おいて ください。
2 いそいで メールを おいて ください。
3 にもつは つくえの うえに おいて ください。
4 なくさないよう かぎは かばんに おいて ください。

(かいとうようし) (例) ① ② ● ④

30 すみ
1 ゆびの すみに どろが ついて います。
2 そらの すみに つきが みえます。
3 かさの すみが おれました。
4 へやの すみに テレビが おいて あります

31 だいじ
1 びょうきが なおるまで からだを だいじに して ください。
2 せまい どうろなので だいじに うんてんした。
3 ナイフは あぶないので だいじに つかいました。
4 おとが しないように ドアを だいじに あけました。

32 まじめ
1 まじめな ねだんの いえが みつかりません。
2 この くつは まじめに つくられて います。
3 この せつめいは わかりやすくて まじめです。
4 かれは とても まじめな ひとです。

模擬試験 第2回

33 くらべる

1 かべの いろを しろに くらべました。
2 いちばん おおきい ケーキを くらべました。
3 どちらが いいか ふたつを くらべました。
4 あかい くつの ほうを くらべました。

34 しゅっちょうする

1 あには ほんを かいに えきまで しゅっちょうして います。
2 たくさんの ひとが はなみに こうえんに しゅっちょうして います。
3 しゃちょうは いま ニューヨークに しゅっちょうして います。
4 まいあさ はちじに かいしゃに しゅっちょうして います。

模擬試験 第2回

N4

言語知識(文法)・読解

(60分)

言語知識（文法）・読解

もんだい1 （　）に 何を 入れますか。1・2・3・4から いちばん いい ものを 一つ えらんで ください。

8分（1問30秒）

(例) わたしは 毎朝 牛乳（　）飲みます。
　　1　が　　　2　の　　　3　を　　　4　で

(解答用紙) | (例) | ① ② ● ④ |

1　あの いす（　）すわって いる 人が 田中さんです。
　　1　で　　　2　を　　　3　に　　　4　が

2　その 映画は とても おもしろかったので、3回（　）映画館に みに 行った。
　　1　で　　　2　は　　　3　も　　　4　が

3　わたしの 家から 駅（　）、歩いて 20分くらい かかります。
　　1　へ　　　2　まで　　3　に　　　4　までに

4　A「その 時計、すてきですね。」
　　B「ありがとうございます。誕生日に 妹（　）くれたんです。」
　　1　が　　　2　に　　　3　から　　4　を

5　リサ「この 漢字は、（　）意味ですか。」
　　田中「それは、たばこを 吸うな と いう 意味ですよ。『きんえん』と 読みます。」
　　1　どう　　2　どのくらい　3　どうやって　4　どういう

6　3月に なって、最近（　）暖かく なって きた。
　　1　そろそろ　2　だいたい　3　なかなか　4　だんだん

模擬試験 第2回

7 わたしは 毎晩（　　）前に、30分くらい 本を 読んでいる。
1 寝る　　2 寝ない　　3 寝た　　4 寝て

8 健康の ために、毎日 3キロ 走る（　　）。
1 ように なる
2 ことに なる
3 のに した
4 ことに した

9 A「最近、駅前に 新しい レストランが できたのを 知っていますか。」
B「えっ、知りませんでした。（　　）店は、どんな 店ですか。」
1 そんな　　2 あんな　　3 その　　4 あの

10 学生「先生、すみません。資料を 家に（　　）きて しまいました。」
先生「そうですか。しかたないですね。来週は かならず 持って来てください。」
1 おく　　2 おかない　　3 おいた　　4 おいて

11 試験の 1か月前から 毎日 がんばって（　　）、いい点が とれなかった。
1 勉強すれば
2 勉強して いたら
3 勉強して いたので
4 勉強して いたのに

12 木村「この 料理、おいしそうですね。田中さんが 一人で 作ったんですか。」
田中「いえ。山下さんにも（　　）。」
1 手伝って あげました
2 手伝って くれました
3 手伝って もらいました
4 手伝わされました

13 木村「田中さん、先週 私が（　　）本、そろそろ かえしてくれない?」
田中「あ、ごめん。あした かならず かえすよ。」
1 貸す　　2 借りる　　3 貸した　　4 借りた

14 友だちが 約束の 時間を 間違えて しまったので、わたしは 駅で 30分も
（　　）。
1 待たせる 2 待たされた
3 待って くれる 4 待たれた

15 A「ねえ、カバンが（　　）。」
B「あ、ありがとう。気がつかなかったよ。」
1 開けて いるよ 2 開いて いるよ
3 開けて あるよ 4 開けて おくよ

模擬試験 第2回

もんだい2 ＿★＿に 入る ものは どれですか。1・2・3・4から いちばん いい ものを 一つ えらんで ください。

(問題例)

かばん ＿＿＿ ＿＿＿ ＿★＿ ＿＿＿ が あります。

1 さいふ　　2 の　　3 中　　4 に

(答え方)

1. 正しい 文を 作ります。

かばん ＿＿＿ ＿＿＿ ＿★＿ ＿＿＿ が あります。
　　　　2 の　　3 中　　4 に　　1 さいふ

2. ＿★＿に 入る 番号を 黒く 塗ります。

(解答用紙) (例) ① ② ③ ●

16 A「気分が 悪そうですね。早く ＿＿＿ ＿＿＿ ＿★＿ ＿＿＿ いいですよ。」
　 B「はい。そうします。」

1 ほうが　　2 家に　　3 休んだ　　4 帰って

17 A「すみません。この 近くに 郵便局は ありますか。」
　 B「そこの ＿＿＿ ＿＿＿ ＿★＿ ＿＿＿ 右に ありますよ。」

1 歩くと　　　　　　　2 まがって
3 5分くらい　　　　　4 かどを

18 今日は ＿＿ ＿＿ ★ ＿＿ すごす つもりだ。
 1 雨も　　　　　　　　　2 家で
 3 ふりそうだし　　　　　4 ゆっくり

19 A「今のは ねこの 声 ですか。」
　 B「ええ。近所の ＿＿ ＿＿ ★ ＿＿。」
 1 している　　　　　　　2 ねこが
 3 けんかを　　　　　　　4 ようです

20 A「すみません。次の 会議は ＿＿ ＿＿ ★ ＿＿ わかりますか。」
　 B「ええ、A会議室ですよ。」
 1 で　　　2 か　　　3 ある　　　4 どこ

模擬試験 第2回

もんだい3 21 から 25 に 何を 入れますか。 文章の 意味を 考えて、1・2・3・4から いちばん いい ものを 一つ えらんで ください。

下の 文章は、3月2日の 日記です。

3月2日 日曜日

　今日は テニスの 練習に 行った。テニス教室に 入って、もう 3か月だ。いつもは 仕事ばかりで 体を 動かさないので、とても いい 運動に なる。今日 テニス教室の 先生 21 「上手に なりましたね」と ほめられた。テニスは 22 、おもしろくなる。それから、いい 友だちも できた。いつも いっしょに 練習している 田中さんだ。田中さんは、まじめで 親切な 人だ。今度 いっしょに 試合に 出る 約束を した。わたしも 田中さんも 試合に 23 はじめてなので、もっと 練習が 必要だ。 24 、来週からは 週に 2回 練習に 行く ことに した。試合に 25 、がんばって 練習しようと 思う。

21
1　に　　　　　2　が　　　　　3　を　　　　　4　で

22
1　練習_{れんしゅう}すればするほど　　2　練習_{れんしゅう}しないと
3　練習_{れんしゅう}するなら　　　　　4　練習_{れんしゅう}しなければしないほど

23
1　でるのは　　　　　　　2　でたのは
3　でないのは　　　　　　4　でなかったのは

24
1　たとえば　　　　　　　2　それで
3　それなら　　　　　　　4　すると

25
1　かつように　　　　　　2　かてるために
3　かてるように　　　　　4　かったために

もんだい4　つぎの(1)から(4)の文章を読んで、質問に答えてください。こたえは、1・2・3・4からいちばんいいものを一つえらんでください。

(1)

「S市美術館の紹介」

　S市美術館は大きいです。部屋がたくさんあって、子どもからおじいさん、おばあさんまで、いろいろな人のかいた絵をかざった部屋もあります。絵をかいたのはS市に住んでいる人で、たくさんの中から選ばれた、いい絵ばかりです。この部屋にはいすもあって、ゆっくり見ることができます。1階の広いところでは、ときどきコンサートも行われます。この美術館でお金が必要なのは、有名な絵のある部屋に入るときだけです。

26　S市美術館の説明で、正しいものはどれですか。
1　お金をはらわなくても、いろいろ楽しむことができる。
2　S市の景色をかいた絵がかざられている部屋があって、有名だ。
3　どの部屋に行ってもいすがあるので、ゆっくり楽しめる。
4　ときどきコンサートがあるが、それを聞くにはお金がかかる。

(2)
　日本で売られている黄色いバナナはだいたい外国から来ています。バナナは緑色のときに木から取られて、日本に運ばれているのです。緑のバナナはそのままでは食べられませんが、店に並ぶときにはちょうど黄色くなっています。店から買ってきて置いておくと、黄色いバナナに小さい黒い点がたくさんできます。そのときには、もっと甘く、おいしくなっています。冷蔵庫に入れておくと、黒くなりますが、甘さは増えません。

27 バナナはどのように食べたらおいしいと言っていますか。
1　店から買ってきて、すぐ、黄色いときに食べる。
2　冷蔵庫に入れて、黒くなったら食べる。
3　木からとって、すぐ、新しいときに食べる。
4　黒い点が出てから食べる。

(3)

　兄はよく「こんな田舎は、おもしろくない。」と言っていますが、私は、むかしからの友だちがたくさんいるこの町に、ずっと住みつづけたいです。駅や病院まではちょっと遠いですが、車があれば問題ありませんし、しずかなところを歩くのは気持ちがよくて、体にもいいです。車で行けるスーパーもあります。電車に２時間乗れば、デパートや映画館やコンサートホールなどに行けます。私にはとても住みやすい町です。

[28] この人は、どうしてこの町に住みつづけたいと思っているのですか。
1　田舎は空気がきれいで、体にいいから
2　友だちがおおぜいいるし、生活で不便なこともないから
3　スーパーやデパートまで歩いて行けて、便利だから
4　交通が便利で、映画やコンサートに行きやすいから

(4)
フォンさんの机の上に、メモが置いてありました。

フォンさん

A社の上田さんから電話がありました。
　今日午後2時にうかがうはずだったが、電車が止まって間に合いそうにない。
　いつ電車が動くかわからないので、何時に着けるかわからない。
　ご都合をうかがいたいので、また電話する。
とのことでした。

　　　　　　　　　　　　　　　　　　　　　　　　　　　山川

---

[29] フォンさんはどうしたらいいですか。
1　山川さんにすぐ電話する。
2　上田さんからの電話を待つ。
3　上田さんにメールで返事を書く。
4　いつ電車が動くかを調べて、山川さんに教える。

模擬試験 第2回

もんだい5　つぎの文章を読んで、質問に答えてください。答えは、1・2・3・4から、いちばんいいものを一つえらんでください。

16分

　自分が大人になったと思うのはどんなときだろうか。
　姉は、両親との関係が変わったときと答えた。姉は昔、両親に「あれをしてはいけない」「こうしなければいけない」などと注意されると、いつも「うるさい」「わかってる」と言って怒っていた。けれども、一人で生活するようになってから、いつも自分をしかってくれた両親の気持ちがわかったそうだ。それからは両親との関係がよくなったと<u>言っている</u>。
　私はこの前、一人でタクシーに乗った。仕事で約束した時間に遅れそうだったからだ。一人で乗ったのは初めてだった。そして、私も大人になったなあと思った。今までは、電車よりお金がかかるからタクシーに乗らなかった。それに、乗っていいかどうか、自分で決められなかった。自分で決めるのは大変なことだ。
　ほかの人にも聞いてみたら、高校や大学を卒業したとき、一人でレストランに入ったときなど、いろいろな答えがあった。家族や友だちと別れて新しい世界に入ったり、一人で何かができるようになったり、人はいろいろな経験をしながら、大人になっていくのではないだろうか。

30　この人のお姉さんについて、正しいものはどれですか。
1　子どものとき、あまり両親にしかられなかった。
2　今、両親にしかられると「うるさい」と思う。
3　両親ともっといい関係になりたいと思っている。
4　今は両親といっしょに住んでいない。

31　言っているのはだれですか。
1　姉
2　両親
3　たくさんの人たち
4　この文章を書いた人

32 この人は、どんなときに自分は大人になったと思いましたか。
1 初めてタクシーに乗ったとき
2 高いタクシー代が払えたとき
3 タクシーは高いから乗らないと決めたとき
4 タクシーに乗ろうと決めて一人で乗ったとき

33 この文章を書いた人はどんな意見を持っていますか。
1 人は、自分は大人になったと思うことができれば、両親といい関係が作れる。
2 自分が大人になったと思うときはいろいろあって、一つに決められない。
3 人と別れたり一人で何かをしたりする経験が、人を大人にする。
4 大人になったら、いろいろな経験をしなくてはいけない。

模擬試験 第2回

もんだい6 右のページの「S駅南自転車駐車場」の説明を見て、下の質問に答えてください。答えは、1・2・3・4から、いちばんいいものを一つえらんでください。

34 とめることができるのは、どの場合ですか。
1 S駅南自転車駐車場に、自転車を3時間とめる。
2 S駅南自転車駐車場に、バイクを3日間とめる。
3 S駅北自転車駐車場に、バイクを2日間とめる。
4 S駅南自転車駐車場に、自転車を15日間とめる。

35 Aさんは、S駅南自転車駐車場に自転車をとめようと思いましたが、お金をもっていませんでした。どうしたらいいですか。
1 機械にお金を入れないと、とめることができないので、お金を取りに家にもどる。
2 自転車をラックに入れないで、あいている場所に置いておく。
3 S駅北駐車場はお金がいらないので、S駅北駐車場に行く。
4 お金は自転車を出すときに入れるので、それまでにお金を準備する。

S駅南自転車駐車場

利用料金　1日(24時間)100円

自転車を入れるとき

| あいているラックに自転車を入れてください | → | 自転車にかぎをかけてください | → | 3分たつとロックがかかります |

自転車を出すとき

| 機械のボタンから、ご利用のラックの番号を選んで押してください | → | お金をいれてください | → | 自転車を出すことができます |

＜ご注意＞
- 自転車には必ずかぎをかけてください。
- この駐車場は自転車用駐車場です。バイクは駅の北にあるS駅北バイク駐車場にとめてください。
- 自転車がいっぱいでとめることができない場合、S駅北自転車駐車場をご利用ください。
- 2週間以上とめることはできません。
- ラックを使わないでとめた自転車は、別の場所に持っていきます。5000円払っていただきます。
- 機械が故障している場合は、お電話で連絡ください。

連絡電話番号：000-1234-12345

模擬試験 第2回

N4

聴解
ちょうかい

(35分)

模擬試験 第2回

もんだい1

02~11 CD2

もんだい1では、まず しつもんを 聞いて ください。それから 話を 聞いて、もんだいようしの 1から4の 中から、いちばん いい ものを 一つ えらんで ください。

れい

1　パン屋
2　本屋
3　コンビニ
4　スーパー

1ばん

1　2　3　4

2ばん

3ばん

1 インターネットで しらべる
2 大学の 図書館で しらべる
3 アンケートを とる
4 古い 新聞を さがす

4ばん

1　2　3　4

5ばん

1　2　3　4

6ばん

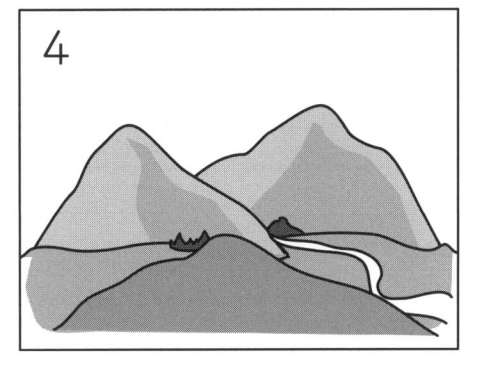

1 ・ 2 ・ 3 ・ 4

7ばん

1 土曜日
2 日曜日
3 月曜日
4 火曜日

8ばん

1 しょうひんを はこに 入れる
2 しょうひんを あつめる
3 はこを えらぶ
4 はこを そうこに もっていく

もんだい2

　もんだい2では、まず しつもんを 聞いて ください。そのあと、もんだいようしを 見て ください。読む 時間が あります。それから 話を 聞いて、もんだいようしの 1から4の 中から、いちばん いい ものを 一つ えらんで ください。

れい

1　しごとが たいへんだから
2　アルバイト代が 安いから
3　べんきょうが いそがしく なったから
4　りゅうがくを することに なったから

1ばん

1　すうじを まちがえたから
2　だいじな ことを 言うのを わすれたから
3　しごとで ミスを したから
4　話が わかりにくかったから

2ばん

1 週に2日
2 週に3日
3 週に4日
4 毎日

3ばん

1 ぐあいが わるいから
2 バイトが あるから
3 日にちを まちがえたから
4 場所が わからないから

4ばん

1 パソコンを 使う
2 ゴミを すてる
3 食べたり 飲んだりする
4 話を する

5ばん

1 バスで
2 地下鉄で
3 タクシーで
4 歩いて

6ばん

1 3年
2 6年
3 7年
4 9年

7ばん

1 本屋
2 カフェ
3 駅の かいさつを 出た ところ
4 こくさいセンターの 入口

もんだい3

22~28 CD2

もんだい3では、えを 見ながら しつもんを 聞いて ください。
➡(やじるし)の 人は 何と 言いますか。1から3の 中から、いちばん
いい ものを 一つ えらんで ください。

れい

模擬試験
第2回

1ばん

2ばん

3ばん

4ばん

5ばん

もんだい4

29~38 CD2

もんだい4では、えなどが ありません。まず ぶんを 聞いて ください。それから、そのへんじを 聞いて、1から3の 中から、いちばん いい ものを 一つ えらんで ください。

― メモ ―

模擬試験
第3回

N4

げんごちしき (もじ・ごい)

(30ぷん)

模擬試験 第3回

もんだい1 ＿＿＿のことばは ひらがなで どう かきますか。
1・2・3・4から いちばん いい ものを ひとつ えらんで ください。

(例) こうこうせいの ころは 小説家に なりたかった。
1 しょうどく　　2 しょうぜい　　3 しょうせつ　　4 しょうわ

(かいとうようし)　(例) ① ② ● ④

1. なつやすみに きゅうしゅうを 旅行 しました。
   1 りょうこう　　2 りゅぎょう　　3 りょこう　　4 りゅうしん

2. しごとの 計画を たてました。
   1 けえかく　　2 けいかく　　3 けいが　　4 けえがく

3. 事故で けがを しました。
   1 じっこ　　2 じいこ　　3 じごう　　4 じこ

4. わたしは 音楽が だいすきです。
   1 おんがく　　2 おんらく　　3 ぶんがく　　4 ぶんらく

5. にちようびに 映画を みに いきました。
   1 ええか　　2 えいが　　3 ええが　　4 えいか

6. 試験は やさしかったです。
   1 しっけん　　2 じっけん　　3 しけん　　4 しげん

7. きのう 動物園に いきました。
   1 どうぶつえん　　2 とうぶつえん　　3 どうぶっつえん　　4 とうぶっつえん

8. やまださんに あえなくて 残念でした。
   1 じゃんねん　　2 じゃねん　　3 ざんねん　　4 ざねん

9. わたしの いえから 空港まで バスで 1じかん くらいです。
   1 ぐうこう　　2 くうこう　　3 くうくう　　4 ぐこう

言語知識
（文字・語彙）

もんだい2 ＿＿＿のことばは どう かきますか。1・2・3・4から いちばん いい ものを ひとつ えらんで ください。

(例) としょかんに ほんを <u>かえしました</u>。
　　1　近しました　　2　送しました　　3　逆しました　　4　返しました

（かいとうようし）　| **(例)** | ① | ② | ③ | ● |

10　みんなで うたを うたうのは <u>たのしい</u> です。
　1　楽しい　　　2　集しい　　　3　業しい　　　4　東しい

11　いえの ちかくに <u>びょういん</u>が あります。
　1　店員　　　2　広院　　　3　度員　　　4　病院

12　あるいて にもつを <u>はこびます</u>。
　1　歩びます　　2　運びます　　3　通びます　　4　道びます

13　母は <u>りょうり</u>が じょうずです。
　1　料里　　　2　理料　　　3　料理　　　4　量利

14　わたしは <u>さかな</u>が きらいです。
　1　黒　　　2　肉　　　3　魚　　　4　色

15　わたしの <u>あね</u>は らいげつ けっこんします。
　1　姉　　　2　始　　　3　妹　　　4　兄

模擬試験 第3回

もんだい3 （　　）に なにを いれますか。1・2・3・4から いちばん いい ものを ひとつ えらんで ください。

(例) ちかくの（　　）で パンと ぎゅうにゅうを かいました。
1　レストラン　　2　コンビニ　　3　ぎんこう　　4　やおや

(かいとうようし)　(例) ① ● ③ ④

16 やまださんは だいがくの ちかくに（　　）います。
1　けっこんして　2　げしゅくして　3　けいかくして　4　けいけんして

17 この パンは とても（　　）おいしいです。
1　やわらかくて　2　ひくくて　3　ふかくて　4　ただしくて

18 バスが もうすぐ（　　）しますから、いそいで ください。
1　しゅっせき　2　しょうかい　3　じゅんび　4　しゅっぱつ

19 きょうは ぐあいが（　　）ので、やすみます。
1　すくない　2　かなしい　3　わるい　4　ねむい

20 みそしるが（　　）しまった。
1　ひえて　2　かえて　3　はこんで　4　なくして

21 どうぶつを（　　）いけません。
1　かたづけては　2　いじめては　3　なくなっては　4　しんでは

22 そのことは よく（　　）して います。
1　しょうたい　2　しょうち　3　そつぎょう　4　へんじ

23 ばんごうは せんしゅの（　　）に はって あります。
1　すいえい　2　せん　3　せなか　4　しあい

24 あした までに ぜんぶ おぼえるのは（　　）です。
1　わけ　2　りゆう　3　むり　4　はず

言語知識
（文字・語彙）

もんだい4 ＿＿＿の ぶんと だいたい おなじ いみの ぶんが あります。
1・2・3・4から いちばん いい ものを ひとつ えらんで ください。

(例) ワンさんに しんぶんの コピーを たのみました。
1 ワンさんに しんぶんの コピーを みせました。
2 ワンさんに しんぶんの コピーを おねがいしました。
3 ワンさんに しんぶんの コピーを あげました。
4 でんしゃの しんぶんの コピーを もらいました。

(かいとうようし)　(例) ① ● ③ ④

25 その いすに こしを かけて ください。
1 その いすに ようふくを かけて ください。
2 その いすに すわって きいて ください。
3 その いすに ぼうしを かけて ください。
4 その いすに すわって ください。

26 かれの たんじょうびが 1月1日なのは たしかです。
1 かれの たんじょうびは 1月1日かも しれません。
2 かれの たんじょうびは けっして 1月1日では ありません。
3 かれの たんじょうびは たぶん 1月1日です。
4 かれの たんじょうびは 1月1日です。

27 かぜを ひかないように きを つけて ください。
1 かぜを ひかないように よく やすんで ください。
2 かぜを ひかないように がんばって ください。
3 かぜを ひかないように えいようを とって ください。
4 かぜを ひかないように ちゅういして ください。

28 わたしは せんせいに そうだんしました。
1 わたしは せんせいと はなしを しました。
2 わたしは せんせいの いけんを ききました。
3 わたしは せんせいと あいました。
4 わたしは せんせいの いけんに さんせいしました。

29 すずきさんは がいこくじんに みちを たずねられました。
1 がいこくじんは すずきさんに 「いきかたを おしえてください」と 言いました。
2 がいこくじんは すずきさんに 「いっしょに いってください」と 言いました。
3 がいこくじんは すずきさんに 「いきかたを おしえなさい」と 言いました。
4 がいこくじんは すずきさんに 「いっしょに いきましょう」と 言いました。

もんだい5 つぎの ことばの つかいかたで いちばん いい ものを
1・2・3・4から ひとつ えらんで ください。

(例) おく
1 ごみは ごみばこに おいて ください。
2 いそいで メールを おいて ください。
3 にもつは つくえの うえに おいて ください。
4 なくさないよう かぎは かばんに おいて ください。

(かいとうようし) (例) ① ② ● ④

30 ごぞんじ
1 たなかさんの でんわばんごうを ごぞんじですか。
2 母は たなかさんの でんわばんごうを ごぞんじです。
3 ちちは わたしの たんじょうびを ごぞんじです。
4 わたしは ちちの たんじょうびを ごぞんじです。

31 こまかい
1 この くつは わたしには こまかいです。
2 こまかい おんなのこが こうえんで あそんで います。
3 この りんごは こまかいですが、おいしいです。
4 こまかい すなが めに はいって いたいです。

32 よわい
1 きょうは きおんが よわいです。
2 スーパーは ねだんが よわいです。
3 ようじが たくさん あって よわいです。
4 わたしは からだが よわいです。

33 ひっこす

1 たなかさんの かぜが わたしに ひっこしました。
2 にくを れいぞうこから テーブルに ひっこしました。
3 おおさかから きょうとへ ひっこしました。
4 にわの きを ひがしから にしへ ひっこしました。

34 しつれい

1 ゆうがたに なりましたので もう しつれいします。
2 せんせいは まいにち ごじに がっこうを しつれいします。
3 みせに くる おきゃくさんは いつも すぐに しつれいします。
4 わたしが おりると タクシーは すぐに しつれいしました。

模擬試験 第3回

N4

言語知識（文法）・読解

（60分）

言語知識（文法）・読解

もんだい1　（　）に 何を 入れますか。1・2・3・4から いちばん いい ものを 一つ えらんで ください。

(例) わたしは 毎朝 牛乳（　）飲みます。
1　が　　　2　の　　　3　を　　　4　で

(解答用紙)　(例)　① ② ● ④

1　これは 日本語（　）「はさみ」と 言います。
1　に　　　2　を　　　3　が　　　4　で

2　教室を きれいに そうじしたら、先生（　）ほめられた。
1　に　　　2　を　　　3　が　　　4　を

3　新しい 駅が できて、この 町は にぎやか（　）なりました。
1　に　　　2　く　　　3　で　　　4　の

4　この 本は、さ来週 の 月曜日（　）かえさなければならない。
1　まで　　　2　までに　　　3　までも　　　4　までは

5　A「あした、田中さんは パーティーに 来ますか。」
　B「まだ、返事が ありませんから、来る（　）わかりません。」
1　しか　　　2　かどうか　　　3　のが　　　4　とか

6　さっきから かさを さがしているけど、（　）ない。
1　どこでも　　　2　どれにも　　　3　どちらでも　　　4　どこにも

模擬試験 第3回

7 A「熱は 下がりましたか。」
B「ええ、もう（　　　）よくなりました。」
1 すっかり　　2 ちっとも　　3 はっきり　　4 ぜんぜん

8 A「ごはんを（　　　）あとで、映画館に 行かない?」
B「うん、そうしよう。」
1 食べる　　2 食べない　　3 食べて　　4 食べた

9 この コピー、字が うすいので、もう少し（　　　）ください。
1 こくにして　　　　　　2 こくして
3 こくになって　　　　　4 こくなって

10 木村「田中さん、中国料理が 作れるんですね。」
田中「ええ、チャンさんに（　　　）。」
1 教えて あげたんです　　　　2 教えて もらったんです
3 教えて くれたんです　　　　4 教えさせられたんです。

11 外で サッカーを して いたら、急に 雨が（　　　）だした。
1 ふる　　2 ふらない　　3 ふった　　4 ふり

12 わたしの 部屋には 家族の 写真が たくさん（　　　）。
1 かざって いる　　　　2 かざって ある
3 かざって おく　　　　4 かざらせて いる

13 木村「あ、田中さん、シャツの ボタンが（　　　）そうですよ。」
田中「ありがとうございます。気がつきませんでした。」
1 とれる　　2 とり　　3 とる　　4 とれ

14 A「すみません、そこの パソコンを（　　）いただけませんか。」
　　B「ええ、いいですよ。どうぞ。」
　1　使われて　　　2　使わせて　　　3　使わされて　　　4　使って

15 田中「国に　帰ったら、何を　しますか。」
　　チャン「父の　仕事を（　　）つもりです。」
　1　手伝う　　　2　手伝える　　　3　手伝おう　　　4　手伝って

模擬試験 第3回

もんだい2 ＿＿★＿＿ に 入る ものは どれですか。1・2・3・4から いちばん いい ものを 一つ えらんで ください。

(問題例)

かばん ＿＿＿ ＿＿＿ ★ ＿＿＿ が あります。

1 さいふ　　2 の　　3 中　　4 に

(答え方)

1. 正しい 文を 作ります。

かばん ＿＿＿ ＿＿＿ ★ ＿＿＿ が あります。
2 の　　3 中　　4 に　　1 さいふ

2. ＿★＿ に 入る 番号を 黒く 塗ります。

(解答用紙)　(例) ① ② ③ ●

16　A「来週の パーティーの 場所 を知りたいんですが、＿＿＿ ＿＿＿ ★ ＿＿＿ か。」
　　B「田中さんなら わかる と 思いますよ。」

1 に　　2 わかります　　3 聞けば　　4 だれ

17　A「すみません。資料を 部屋に ＿＿＿ ＿＿＿ ★ ＿＿＿。」
　　B「わかりました。」

1 取りに　　2 忘れたので　　3 行って　　4 きます

18 A「おなかが すきましたね。」
   B「ええ。カレー ____ ____ ★ ____ か。」
   1 でも　　　2 に　　　3 食べ　　　4 行きましょう

19 11月に 入って、____ ____ ★ ____。
   1 寒く　　　2 きた　　　3 だんだん　　　4 なって

20 A「ねえ、知ってる？ 田中さんが ____ ____ ★ ____ らしいよ。」
   B「えっ、知らなかった。」
   1 テレビで　　　　　　2 つとめている
   3 紹介される　　　　　4 会社が

模擬試験 第3回

もんだい3 21 から 25 に 何を 入れますか。文章の 意味を 考えて、1・2・3・4から いちばん いい ものを 一つ えらんで ください。

(6分(1問70秒))

下の 文章は「東京」についての 作文です。

「東京」

　わたしは 去年の 3月に 東京の 大学に 留学するために 日本へ 来ました。東京へ 来てから もうすぐ 1年です。東京に 来た 21 の ころは、おどろく ことが 多かったです。 22 、人が 多い ことです。町には 人が たくさん いますが、みんな 歩くのが 速くて、とても 23 そうです。特に 朝の 電車は 人が たくさん 乗って いて、みんな おこったような 顔を して います。わたしの ふるさとは 人が 少なくて、とても しずかな ところですから、最初は 少し こわかったです。でも、最近 24 なれて きました。

　それから、東京には おもしろい ところも あります。この前 大学の 日本人の 友だち 25 東京の 古い お寺へ つれて 行って もらいました。その お寺は 高い ビルの となりに ありました。東京は 古い ものと 新しい ものが いっしょに なって いて、とても おもしろいと 思います。これからも、いろいろな ところへ 行って みたいです。

21
1 ばかり　　　2 から　　　3 まえ　　　4 うち

22
1 しかし　　　2 例(たと)えば　　　3 それに　　　4 もし

23
1 いそがしい　　　　　　2 いそがし
3 いそがしくない　　　　4 いそがしかった

24
1 もっと　　　2 ずっと　　　3 やっと　　　4 きっと

25
1 を　　　2 に　　　3 が　　　4 で

模擬試験 第3回

もんだい4 つぎの(1)から(4)の文章を読んで、質問に答えてください。こたえは、1・2・3・4からいちばんいいものを一つえらんでください。

12分（1大問3分）

(1)

　あなたは、「買いたい」と思ったら、すぐそれを買ってしまいますか。買い物をするときには、まず、本当にそれを使うかどうか考えましょう。とくに「安いから」と思って買ってしまうと、うちに同じようなものがあったり、使わないものだったりすることがあります。また、うちに置く場所があるかどうかも大切です。よく考えて買わないと、使わないで捨ててしまうことになります。

[26] どんな買い方がよくないと言っていますか。
1　洋服の値段が安くなっているときに、その服を着る予定があるかどうか考えて買う。
2　テレビを買うときに、同じものを安く売っている店をさがして買う。
3　トマトが1個必要なときに、10個買うと安くなるものを選んで買う。
4　安い本棚を見つけたときに、部屋に入る大きさかどうかよく調べてから買う。

(2)

　私は、ほとんど病院へ行ったことがありませんでした。けれども、入院した友だちが「1年前からずっとおなかが痛かったのに、病院に行かなかったのが悪かった。」と言っているのを聞いて、急に心配になりました。私もおなかが痛いときがあるからです。そして、毎日「私も同じ病気かもしれない。」と考えていたら、またおなかが痛くなってきました。それで、きのう病院へ行ってみましたが、何も病気はないと言われました。

[27] この人について、正しいものはどれですか。
1　1年前からおなかが痛くて、今は入院している。
2　今まで一回も病院へ行ったことがない。
3　病気を心配しすぎて、おなかが痛くなってしまった。
4　1年前からずっとおなかが痛かったが、病院へ行ったら病気が治った。

(3)
これは、中田さんからのメールです。アンさんは金曜日の夕方はいつもひまです。また、魚は食べません。

アンさんへ

　連絡があります。クラスの飲み会（パーティー）を来週の金曜日の夕方にやるつもりです。もし都合が悪かったら、私にメールで連絡してください。
　それから、山川さんが食べ物を買っておいてくれるので、食べられないものがあったら教えてほしいそうです。よろしく。

中田

---

28 アンさんはどうしたらいいですか。
1 中田さんにメールをして、飲み会に出席すると連絡する。
2 中田さんにメールをして、飲み会に行けないことを伝える。
3 パーティーのために、山川さんに食べ物を買っておいてあげる。
4 山川さんに、魚は食べられないことを伝える。

(4)
紙に、市民センターの部屋を利用するときの注意が書かれています。

市民センターの部屋を利用される皆さんへ

● 部屋の中で食べたり飲んだりしないでください。

● エアコンは、冷房は6月から9月、暖房は11月から3月まで使うことができます。それ以外の月で使いたいときは、受付に言ってください。

● 部屋のご利用が終わったら、いすや机を片づけてください。部屋を出るときには、ドアを開けておいてください。

● 歌を歌ったり、ギターなどの楽器をひいたりする場合は、音楽室をご利用ください

---

[29] この紙に書いてある注意からわかることは何ですか。
1 この部屋では10月にエアコンをけっして使ってはいけない。
2 帰るときに、ドアを閉めなければならない。
3 この部屋では歌を歌うことはできない。
4 エアコンを使いたいときは、受付に言わなければならない。

もんだい5　つぎの文章を読んで、質問に答えてください。答えは、1・2・3・4から、いちばんいいものを一つえらんでください。

　運動は体にいいから、エレベーターやバスに乗らないで歩くようにしているという人が増えています。忙しくて運動する時間がないというのがその理由です。スポーツクラブに通わなくてもいいですし、私のように運動があまり好きじゃない人にも簡単で、いい考えだと思います。

　私と同じ会社のエリカさんも、よく歩いています。はじめは運動が好きじゃなかったけれど、歩くのが楽しくなって、走ることも始めたそうです。エリカさんに「最近、公園を走っているけど気持ちいいよ。一回見てみたら？」と言われて日曜日にその公園へ行ってみたら、走っている人がいっぱいでびっくりしました。エリカさんは、いっしょに走る友達もいて楽しそうでした。

　来月、エリカさんは初めてマラソン大会に出るそうです。前はとても遅くしか走れなかったのに、少し速く走れるようになったから、10キロを1時間で走れるようになりたいと話していました。

　子どものときから運動の好きな人が、大人になっても走るのだと思っていましたが、そんなことはないようです。私もこれから歩くことから始めてみようと考えています。

[30] この人は、どんな考えをいい考えだと思ったのですか。
1　運動する人が増えるだろうという考え
2　乗り物に乗らないで歩こうという考え
3　スポーツクラブには通わないほうがいいという考え
4　忙しくて時間がないなら、運動しなくてもいいという考え

31 エリカさんについて、正しいものはどれですか。
1 この文章を書いた人といっしょに、よく走っている。
2 子どものときから走るのが好きで、楽しんで走っていた。
3 最近、10キロを1時間で走れるようになった。
4 まだマラソン大会で走ったことがない。

32 この文章を書いた人について、正しいものはどれですか。
1 今は特に何もしていないが、運動は好きだ。
2 バスに乗らないで、歩くようにしている。
3 最近、公園に行って走るようになった。
4 公園を走るという習慣を持っていない。

33 この文章を書いた人は、エリカさんを見て何がわかりましたか。
1 走るのが毎日じゃなくても、体がじょうぶになることがわかった。
2 運動が好きじゃなかった人も、楽しく走れるようになることがわかった。
3 がんばって運動をつづければ、マラソン大会に出られることがわかった。
4 公園で楽しく走るようにすれば、友だちが見つけられることがわかった。

もんだい6　右のページの「A市立図書館のご利用について」を見て質問に答えてください。答えは、1・2・3・4からいちばんいいものを一つえらんでください。

34　A市立図書館でできることはどれですか。

1　B市に住んでいるサニさん(21歳)が、CDを3枚借りる
2　A市の高校に通っている川本さん(16歳)が、本を5冊と雑誌を6冊借りる
3　A市に住んでいる吉田さん(63歳)が、CDを5枚と本を4冊借りる
4　A市の会社で働いているヨウさん(35歳)が、DVDを2枚と雑誌を3冊借りる

35　明日は本を返さなければならない日ですが、読みおわるまで、あと1週間くらいかかりそうなので、もう少し借りたいと思っています。どうしたらよいですか。

1　今日、図書館に電話をして、あと2週間借りる。
2　今日の夜、入リ口のポストに本を返して、明日、図書館に電話をする。
3　あさって、図書館の受付で、あと2週間借りられるようにする。
4　その本を予約している人に電話で相談する。

A市立図書館のご利用について

○利用できる人

A市に住んでいる人、A市で働いている人、A市の学校に通っている人、B市・C市・D市に住んでいる人

○借りるとき

はじめて借りるときは、図書館の受付で利用カードを作ってください。

本・雑誌は一人合わせて10冊まで、CDは3枚まで、2週間借りられます。

＊60歳以上の人はCDを5枚まで借りられます。

＊A市以外の人はCDは借りられません。

＊DVDは借りられません。

○返すとき

受付にお返しください。図書館が閉まっているときは、入り口のポストにお返しください。

＊CDは必ず受付にお返しください。

○2週間以上借りたいとき

返さなればならない日までに、受付か電話でお知らせください。あと2週間借りることができます。

＊その本を予約している人がいたら、借りられません。

模擬試験
第3回

N4
聴解
（35分）

もんだい1

もんだい1では、まず しつもんを 聞いて ください。それから 話を 聞いて、もんだいようしの 1から4の中から、いちばん いい ものを 一つ えらんで ください。

れい

1 パン屋
2 本屋
3 コンビニ
4 スーパー

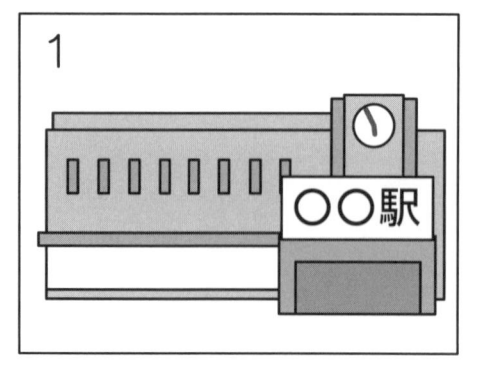

1ばん

2ばん

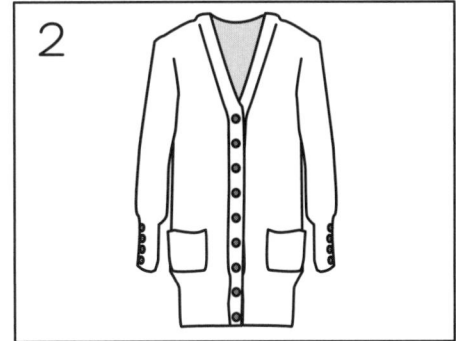

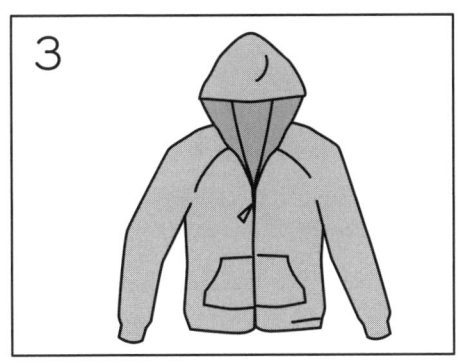

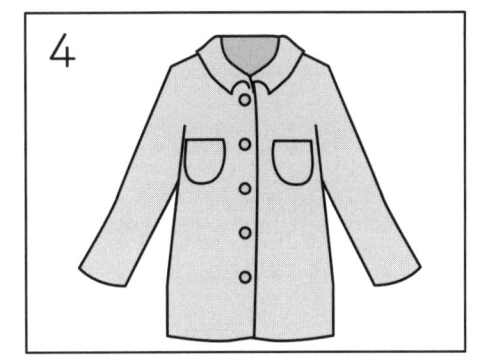

3ばん

1　おべんとうと 飲みもの
2　お金
3　ノートと ペン
4　カメラ

4ばん

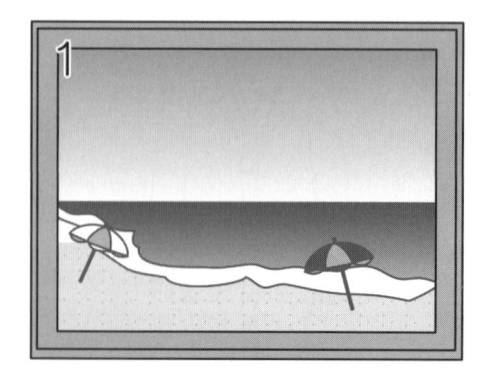

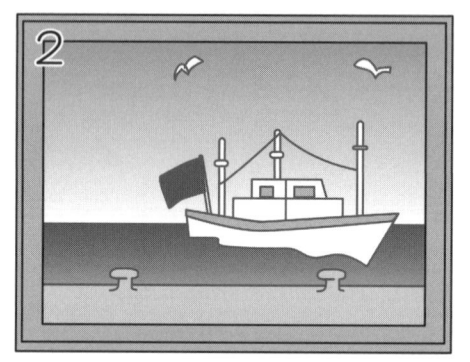

5ばん

1 　ア　ウ
2 　ア　エ
3 　イ　ウ
4 　イ　エ

6ばん

1 アイ
2 アエ
3 イウ
4 ウエ

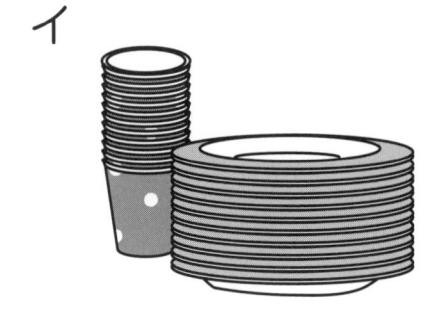

ア （お茶とオレンジのペットボトル）
イ （コップとお皿）
ウ （お菓子の箱）
エ （クラッカー・ポテト・サラダ）

7ばん

1 れんらくを 待つ
2 電話を かける
3 ほかの 駅に 行く
4 しごとに 行く

8ばん

1 田中くんの 家
2 教室
3 図書館
4 食堂

模擬試験 第3回

もんだい2

もんだい2では、まず しつもんを 聞いて ください。そのあと、もんだいようしを 見て ください。読む 時間が あります。それから 話を 聞いて、もんだいようしの 1から4の 中から、いちばん いい ものを 一つ えらんで ください。

れい

1　しごとが たいへんだから
2　アルバイト代が 安いから
3　べんきょうが いそがしく なったから
4　りゅうがくを することに なったから

1ばん

1　9時30分
2　9時50分
3　10時10分
4　10時30分

2ばん

1 駅から 遠いから
2 たてものが 古いから
3 部屋が せまいから
4 りゅうがくするから

3ばん

1 これからすぐ
2 明日
3 あさって
4 来週の 月曜日

4ばん

1 午前中晴れ、午後雨
2 午前中晴れ、午後くもり
3 一日中雨
4 一日中くもり

5ばん

1 小さくなった
2 デザインが かわいくなった
3 値段が 安くなった
4 人気が 出た

6ばん

1 親
2 姉
3 先生
4 友だち

7ばん

1 英語
2 中国語
3 スペイン語
4 イタリア語

もんだい3

22~28 CD3

もんだい3では、えを 見ながら しつもんを 聞いて ください。
➡(やじるし)の 人は 何と 言いますか。1から3の 中から、いちばん
いい ものを 一つ えらんで ください。

れい

1ばん

2ばん

3ばん

4ばん

5ばん

29~38 CD3 もんだい４

もんだい４では、えなどが ありません。まず ぶんを 聞いて ください。それから、そのへんじを 聞いて、１から３の 中から、いちばん いい ものを 一つ えらんで ください。

― メモ ―

日本語能力試験 完全模試 N4 かいとうようし
第1回 げんごちしき (もじ・ごい)

なまえ Name

〈ちゅうい Notes〉

1. くろい えんぴつ(HB、No.2)で かいて ください。
   (ペンや ボールペンでは かかないで ください)
   Use a black medium soft (HB or No.2) pencil.
   (Do not use any kind of pen.)
2. かきなおす ときは、けしゴムで きれいに けして ください。
   Erase any unintended marks completely.
3. きたなく したり、おったり しないで ください。
   Do not soil or bend this sheet.
4. マークれい Marking examples

よい れい Correct Example	わるい れい Incorrect Examples
●	⊘ ⊖ ◐ ○ ◑ ◉

もんだい 1

1	①	②	③	④
2	①	②	③	④
3	①	②	③	④
4	①	②	③	④
5	①	②	③	④
6	①	②	③	④
7	①	②	③	④
8	①	②	③	④
9	①	②	③	④

もんだい 2

10	①	②	③	④
11	①	②	③	④
12	①	②	③	④
13	①	②	③	④
14	①	②	③	④
15	①	②	③	④

もんだい 3

16	①	②	③	④
17	①	②	③	④
18	①	②	③	④
19	①	②	③	④
20	①	②	③	④
21	①	②	③	④
22	①	②	③	④
23	①	②	③	④
24	①	②	③	④

もんだい 4

25	①	②	③	④
26	①	②	③	④
27	①	②	③	④
28	①	②	③	④
29	①	②	③	④

もんだい 5

30	①	②	③	④
31	①	②	③	④
32	①	②	③	④
33	①	②	③	④
34	①	②	③	④

日本語能力試験 完全模試 N4 かいとうようし
第1回 げんごちしき (ぶんぽう)・どっかい

なまえ
Name

もんだい 1

1	①	②	③	④
2	①	②	③	④
3	①	②	③	④
4	①	②	③	④
5	①	②	③	④
6	①	②	③	④
7	①	②	③	④
8	①	②	③	④
9	①	②	③	④
10	①	②	③	④
11	①	②	③	④
12	①	②	③	④
13	①	②	③	④
14	①	②	③	④
15	①	②	③	④

もんだい 2

16	①	②	③	④
17	①	②	③	④
18	①	②	③	④
19	①	②	③	④
20	①	②	③	④

もんだい 3

21	①	②	③	④
22	①	②	③	④
23	①	②	③	④
24	①	②	③	④
25	①	②	③	④

もんだい 4

26	①	②	③	④
27	①	②	③	④
28	①	②	③	④
29	①	②	③	④

もんだい 5

30	①	②	③	④
31	①	②	③	④
32	①	②	③	④
33	①	②	③	④

もんだい 6

34	①	②	③	④
35	①	②	③	④

〈ちゅうい Notes〉

1. くろい えんぴつ(HB、No.2)で かいて ください。
   (ペンや ボールペンでは かかないで ください)
   Use a black medium soft (HB or No.2) pencil.
   (Do not use any kind of pen.)
2. かきなおす ときは、けしゴムで きれいに けして ください。
   Erase any unintended marks completely.
3. きたなく したり、おったり しないで ください。
   Do not soil or bend this sheet.
4. マークれい Marking examples

よい れい Correct Example	わるい れい Incorrect Examples
●	⊘ ⊙ ◑ ① ◐ ○

日本語能力試験 完全模試 N4 かいとうようし

第1回 ちょうかい

なまえ
Name

もんだい 1

れい	①	●	③	④
1	①	②	③	④
2	①	②	③	④
3	①	②	③	④
4	①	②	③	④
5	①	②	③	④
6	①	②	③	④
7	①	②	③	④
8	①	②	③	④

もんだい 2

れい	①	②	③	●
1	①	②	③	④
2	①	②	③	④
3	①	②	③	④
4	①	②	③	④
5	①	②	③	④
6	①	②	③	④
7	①	②	③	④

もんだい 3

れい	①	②	●
1	①	②	③
2	①	②	③
3	①	②	③
4	①	②	③
5	①	②	③

もんだい 4

れい	①	②	③
1	①	②	③
2	①	②	③
3	●	②	③
4	①	②	③
5	①	②	③
6	①	②	③
7	①	②	③
8	①	②	③

〈ちゅうい Notes〉

1. くろい えんぴつ(HB、No.2)で かいて ください。
   (ペンや ボールペンでは かかないで ください)
   Use a black medium soft (HB or No.2) pencil.
   (Do not use any kind of pen.)

2. かきなおす ときは、けしゴムで きれいに けして ください。
   Erase any unintended marks completely.

3. きたなく したり、おったり しないで ください。
   Do not soil or bend this sheet.

4. マークれい Marking examples

よい れい Correct Example	わるい れい Incorrect Examples
●	⊘ ⊗ ◯ ◎ ⊙ ⬤

日本語能力試験 完全模試 N4 かいとうようし

第2回 げんごちしき (もじ・ごい)

なまえ Name

〈ちゅうい Notes〉

1. くろい えんぴつ(HB、No.2)で かいて ください。
   (ペンや ボールペンでは かかないで ください)
   Use a black medium soft (HB or No.2) pencil.
   (Do not use any kind of pen.)
2. かきなおす ときは、けしゴムで きれいに けして ください。
   Erase any unintended marks completely.
3. きたなく したり、おったり しないで ください。
   Do not soil or bend this sheet.
4. マークれい Marking examples

よい れい Correct Example	わるい れい Incorrect Examples
●	○ ⊘ ⊙ ◐ ⦸ ◍

もんだい 1

1	①	②	③	④
2	①	②	③	④
3	①	②	③	④
4	①	②	③	④
5	①	②	③	④
6	①	②	③	④
7	①	②	③	④
8	①	②	③	④
9	①	②	③	④

もんだい 2

10	①	②	③	④
11	①	②	③	④
12	①	②	③	④
13	①	②	③	④
14	①	②	③	④
15	①	②	③	④

もんだい 3

16	①	②	③	④
17	①	②	③	④
18	①	②	③	④
19	①	②	③	④
20	①	②	③	④
21	①	②	③	④
22	①	②	③	④
23	①	②	③	④
24	①	②	③	④

もんだい 4

25	①	②	③	④
26	①	②	③	④
27	①	②	③	④
28	①	②	③	④
29	①	②	③	④

もんだい 5

30	①	②	③	④
31	①	②	③	④
32	①	②	③	④
33	①	②	③	④
34	①	②	③	④

日本語能力試験 完全模試 N4 かいとうようし
第2回 げんごちしき（ぶんぽう）・どっかい

なまえ
Name

〈ちゅうい Notes〉

1. くろい えんぴつ(HB、No.2)で かいて ください。
   （ペンや ボールペンでは かかないで ください）
   Use a black medium soft (HB or No.2) pencil.
   (Do not use any kind of pen.)
2. かきなおす ときは、けしゴムで きれいに けして ください。
   Erase any unintended marks completely.
3. きたなく したり、おったり しないで ください。
   Do not soil or bend this sheet.
4. マークれい Marking examples

よい れい Correct Example	わるい れい Incorrect Examples
●	⊘ ⊙ ⊙ ○ ◉ ◐

もんだい 1

1	①	②	③	④
2	①	②	③	④
3	①	②	③	④
4	①	②	③	④
5	①	②	③	④
6	①	②	③	④
7	①	②	③	④
8	①	②	③	④
9	①	②	③	④
10	①	②	③	④
11	①	②	③	④
12	①	②	③	④
13	①	②	③	④
14	①	②	③	④
15	①	②	③	④

もんだい 2

16	①	②	③	④
17	①	②	③	④
18	①	②	③	④
19	①	②	③	④
20	①	②	③	④

もんだい 3

21	①	②	③	④
22	①	②	③	④
23	①	②	③	④
24	①	②	③	④
25	①	②	③	④

もんだい 4

26	①	②	③	④
27	①	②	③	④
28	①	②	③	④
29	①	②	③	④

もんだい 5

30	①	②	③	④
31	①	②	③	④
32	①	②	③	④
33	①	②	③	④

もんだい 6

34	①	②	③	④
35	①	②	③	④

日本語能力試験 完全模試 N4 かいとうようし

第2回 ちょうかい

なまえ
Name

もんだい 1

れい	●	②	③	④
1	①	②	③	④
2	①	②	③	④
3	①	②	③	④
4	①	②	③	④
5	①	②	③	④
6	①	②	③	④
7	①	②	③	④
8	①	②	③	④

もんだい 2

れい	①	②	●	④
1	①	②	③	④
2	①	②	③	④
3	①	②	③	④
4	①	②	③	④
5	①	②	③	④
6	①	②	③	④
7	①	②	③	④

もんだい 3

れい	①	●	③
1	①	②	③
2	①	②	③
3	①	②	③
4	①	②	③
5	①	②	③

もんだい 4

れい	①	●	③
1	①	②	③
2	①	②	③
3	①	②	③
4	①	②	③
5	①	②	③
6	①	②	③
7	①	②	③
8	①	②	③

〈ちゅうい Notes〉

1. くろい えんぴつ(HB、No.2)で かいて ください。
   (ペンや ボールペンでは かかないで ください)
   Use a black medium soft (HB or No.2) pencil.
   (Do not use any kind of pen.)
2. かきなおす ときは、けしゴムで きれいに けして ください。
   Erase any unintended marks completely.
3. きたなく したり、おったり しないで ください。
   Do not soil or bend this sheet.
4. マークれい Marking examples

よいれい Correct Example	わるいれい Incorrect Examples
●	⊘ ⊗ ◯ ◑ ① ◍

日本語能力試験 完全模試 N4 かいとうようし
第3回 げんごちしき (もじ・ごい)

なまえ Name

〈ちゅうい Notes〉

1. くろい えんぴつ(HB、No.2)で かいて ください。
   (ペンや ボールペンでは かかないで ください)
   Use a black medium soft (HB or No.2) pencil.
   (Do not use any kind of pen.)
2. かきなおす ときは、けしゴムで きれいに けして ください。
   Erase any unintended marks completely.
3. きたなく したり、おったり しないで ください。
   Do not soil or bend this sheet.
4. マークれい Marking examples

よい れい Correct Example	わるい れい Incorrect Examples
●	⊘ ⊙ ⊖ ○ ◉ ◐

もんだい 1

1	①	②	③	④
2	①	②	③	④
3	①	②	③	④
4	①	②	③	④
5	①	②	③	④
6	①	②	③	④
7	①	②	③	④
8	①	②	③	④
9	①	②	③	④

もんだい 2

10	①	②	③	④
11	①	②	③	④
12	①	②	③	④
13	①	②	③	④
14	①	②	③	④
15	①	②	③	④

もんだい 3

16	①	②	③	④
17	①	②	③	④
18	①	②	③	④
19	①	②	③	④
20	①	②	③	④
21	①	②	③	④
22	①	②	③	④
23	①	②	③	④
24	①	②	③	④

もんだい 4

25	①	②	③	④
26	①	②	③	④
27	①	②	③	④
28	①	②	③	④
29	①	②	③	④

もんだい 5

30	①	②	③	④
31	①	②	③	④
32	①	②	③	④
33	①	②	③	④
34	①	②	③	④

日本語能力試験 完全模試 N4 かいとうようし

第3回 げんごちしき（ぶんぽう）・どっかい

なまえ
Name

〈ちゅうい Notes〉

1. くろい えんぴつ(HB、No.2)で かいて ください。
   (ペンや ボールペンでは かかないで ください)
   Use a black medium soft (HB or No.2) pencil.
   (Do not use any kind of pen.)
2. かきなおす ときは、けしゴムで きれいに けして ください。
   Erase any unintended marks completely.
3. きたなく したり、おったり しないで ください。
   Do not soil or bend this sheet.
4. マークれい Marking examples

よい れい Correct Example	わるい れい Incorrect Examples
●	⊘ ⊖ ⊕ ◑ ◐ ○

もんだい 1

1	①	②	③	④
2	①	②	③	④
3	①	②	③	④
4	①	②	③	④
5	①	②	③	④
6	①	②	③	④
7	①	②	③	④
8	①	②	③	④
9	①	②	③	④
10	①	②	③	④
11	①	②	③	④
12	①	②	③	④
13	①	②	③	④
14	①	②	③	④
15	①	②	③	④

もんだい 2

16	①	②	③	④
17	①	②	③	④
18	①	②	③	④
19	①	②	③	④
20	①	②	③	④

もんだい 3

21	①	②	③	④
22	①	②	③	④
23	①	②	③	④
24	①	②	③	④
25	①	②	③	④

もんだい 4

26	①	②	③	④
27	①	②	③	④
28	①	②	③	④
29	①	②	③	④

もんだい 5

30	①	②	③	④
31	①	②	③	④
32	①	②	③	④
33	①	②	③	④

もんだい 6

34	①	②	③	④
35	①	②	③	④

日本語能力試験 完全模試 N4 かいとうようし

第3回 ちょうかい

なまえ / Name

〈ちゅうい Notes〉

1. くろい えんぴつ(HB、No.2)で かいて ください。
   (ペンや ボールペンでは かかないで ください)
   Use a black medium soft (HB or No.2) pencil.
   (Do not use any kind of pen.)
2. かきなおす ときは、けしゴムで きれいに けして ください。
   Erase any unintended marks completely.
3. きたなく したり、おったり しないで ください。
   Do not soil or bend this sheet.
4. マークれい Marking examples

よい れい Correct Example	わるい れい Incorrect Examples
●	⊘ ⊙ ⊗ ○ ◑ ◐

もんだい1

れい	①	●	③	④
1	①	②	③	④
2	①	②	③	④
3	①	②	③	④
4	①	②	③	④
5	①	②	③	④
6	①	②	③	④
7	①	②	③	④
8	①	②	③	④

もんだい2

れい	①	②	●	④
1	①	②	③	④
2	①	②	③	④
3	①	②	③	④
4	①	②	③	④
5	①	②	③	④
6	①	②	③	④
7	①	②	③	④

もんだい3

れい	①	●	③
1	①	②	③
2	①	②	③
3	①	②	③
4	①	②	③
5	①	②	③

もんだい4

れい	①	●	③
1	①	②	③
2	①	②	③
3	①	②	③
4	①	②	③
5	①	②	③
6	①	②	③
7	①	②	③
8	①	②	③